シンデレラの母

Nagase Haruyo
長瀬春代

編集工房ノア

「シンデレラの母」

装幀　森本良成

鹿児島おんな

1

夜行列車はときおり鋭い汽笛を響かせ、闇の中を進んで行く。八月の車内は暑さがこもって、ひじ掛けに乗せた腕に汗がにじむ。母は反対したが、着物をやめて自分で縫った半袖ワンピースにしてよかったと節子は思った。朝早くに加治木から汽車に乗り、鹿児島、門司、大阪で乗り換え、四日市まで行く。

車内は空いている。二人分の座席に横座りしてもたれ、眠ろうとしたが目が冴えて眠れない。あきらめて目を開けると、向かいの座席で横になっている父が目に入った。丸刈りの白髪頭を見せて、気持ちよさそうに寝息を立てている。駅弁を食べ、家から持ち込んだ焼酎を飲むとすぐに眠ってしまった。

夕方停車した博多駅で父は駅弁を二つ買い、一つをお茶と一緒に節子に差し出した。

「あたやなんも食べられやせん」

節子は首を横に振った。

「おまんさぁはおっ母はんに似て、乗物酔いがひどかね。なあに、今すぐに食べんでもよかで、持っちょれ。明日の朝まで、なんも買えんで、夜中に腹が減るやもしれん」

海軍勤めが長く、日清・日露戦争に行った父にとって、汽車など揺れているうちに入らないのだろう。だが、節子は駅の構内に入って、機関車の蒸気のにおいを嗅いだとたんに吐きそうになった。今は少し落ち着いたので、素焼きの急須から茶をふたに注いで、おそるおそる口に含んだ。ぬるい茶が喉を下りて腹の中に収まった。

寝ている父にじっと目を凝らした。半開きの口から歯がのぞき、目じりから頬にかけて刻んだような深いしわが走っている。元気な人だから、年齢を考えたことがなかったが、慶応元年生まれの七十七歳なのだ。父の望み通りにしてよかった、と思った。

和田に嫁いでいた次姉の澄子が急死したのが、今から一年あまり前の昭和十二年四月。「危篤」の電報が鹿児島の蒲生(かもう)の家に来て、父と母はとるものもとりあえず四日市まで駆け付けたが、そのまま葬式に出ることになってしまった。父は声を放って泣いたと言う。

「あたや嫁に来てから、父ちゃんが泣くのを始めてみたが」

後になって母が言った。父はとりわけ澄子のことをかわいがっていたから、よほど残念だったのだろう。遺骨を持ち帰り、家の墓地に墓をこしらえた。

澄子は女学校を卒業すると、門司に住む赤塚の叔父の家に住み込んで家事を手伝った。年頃になると叔父が結婚の世話をし、支度を整えて嫁に出した。叔父は母の父親違いの弟で、日本銀行に勤めて羽振りがよく、貧乏人の子沢山である節子の家は何かと世話になっている。

その後に、節子が住み込んで家事を手伝っていた。ところが、急に高い熱と激しい咳が出て、医者に診てもらうと肋膜炎と診断された。

「節子さん、家でゆっくり養生してらっしゃいな」

叔母のポキポキした東京言葉を背に受けて、迎えに来た父に連れられ家に帰った。

「おまんさぁ、よっぽど不摂生をしやったんじゃろうが。そげな病になっせ」

父にひどく叱られ、唇をかんでうつむいていた。夜更かしも力仕事もしなかったのに。

赤塚の祖母が見舞金を母にくれたので、鶏の刺身や鯉の洗いを毎日食べて寝ていた。負けるものか、自分で治して見せる。そう決めて、起き上がれるようになると、鶏が庭のあちこちで産む卵を集めて、黄身だけを長い時間をかけて鍋で煎って飲んだ。母は、節子の食べ終わった食器を流しに運ぶと、囲炉裏から湯気の立つ鉄瓶をさげていき、長い間湯を注いだ。

「おっ母はんは病気が恐ろしか人じゃもの」

妹の福子は慰め顔だ。

節子は数えの二十六歳になった。庭の梅の花が散り終わった頃、朝飯をすました父が「畑を見てくっで」と言って出ていき、福子も立って行った。流しに茶碗を運ぼうとして節子が腰を浮かすと、母が「そこへ座りやらんな」と言う。

「ないごつな、おっ母はん」

話があると言ったのに、母は口を結んで膝に目を落としたままだ。囲炉裏の鉄瓶のたぎる音がする。しばらくたってようやく母は口を開いた。

「赤塚の叔父さんが、おまんさぁに話をしてみっくれっち、言やんのよ。澄子が亡うなって、一年になっせ、和田さんが後のことを頼みやったのよ。もともと叔父さんと、和田さんの上役が知り合いじゃったもんで、澄子の縁談がまとまったんじゃ」

そこまで一気に言うと、母は息をついた。

叔父は最初、長姉の貴子を、と考えた。貴子は夫に早く先立たれ、小学校の先生をして子ども二人を育てているが、話を聞いてすぐに断った。

「我が子二人を連れて行て、澄子の子どん四人を育てるっちなりゃあ、気苦労が絶えんよ。そいで、今度はおまんさぁをっち、言やんのよ」

話とはこれだったのか。澄子の後釜に。貴子が断って、話が回って来たのだ。

「お父さんは、おまんさぁが行っくれば、安心じゃっち。じゃっどん自分じゃ言い切らじ、あたいせぇに言えっち。和田さんとおまんさぁは年が十七も離れっちょるし、いくら姉の子っち言うても、我が産んだ子じゃなかもんを育てるっちなかなか苦労なことじゃいよ。あたやどうかっち思うがよ。そいでもまあ、話してみるわけよ」

返事を待つふうでもなく、母は板間の遠くに目をやって黙っていた。

「あたや、父ちゃんのとこぃ来る前に、一度嫁に行たことがあっで。加治木の町の写真屋よ。相手はおとなしゅうて、姑もよか人じゃって、大事にしっくれっちょったが、なんち言うかねぇ、虫が好かん、肌が合わんち言うのかねぇ、そばに寄られりゃ、気持っが悪りて。一月ほど辛抱しちょったども、こらえきれんよになっせ、夕方、鍋を火にかけたまんま、台所の下駄をつっかけっせ飛び出しっきたのよ」

母はおかしそうに笑っている。初めて聞く話だ。

「おまんさぁも、ちょうど嫁に行く時分に病気をしやったもんじゃっで」

母はため息まじりに言うと、それっきり口をつぐんだ。膝の上にそろえた母の手をじっと見つめた。日に焼けた手の甲に、ふくれた青い筋が木の根のように走り、節くれだった指に深いしわが刻まれている。

風呂の後、外に出て空を見上げた。月がかすんで霧の中にいるようだ。頭の中をいろんな考えがめぐる。同級生はみんな嫁に行って、子どもの二人や三人持っている。福子のように鼻筋が通って目が大きければよかったのに。それに背が高すぎる。肋膜炎を患ったから、ろくな縁談はないだろう。でも、四人の子のいる、十七歳も年の離れた人と結婚するのは、考えられない。

三日たって、父が夕飯のとき珍しく晩酌(だいやめ)をしなかった。母が土間に下りると、囲炉裏のはたであぐらをかいていた父が座りなおし、節子の方に膝を進めた。

「なあ、節子。和田に行てくれんね。そげんしっくれたらあたいも安心じゃっで」

父は目じりを下げた顔に少し笑みを浮かべてのぞき込み、やさしい声になった。加治木女学校の進学をあきらめるように言った時と同じだ。

「おまんさぁは頭がよかで町の女学校に行かせてやりたかが、寄宿させる金がなかで、こらえてくれんね、高等科に行て後は蒲生の女子職業学校に入ればよか。そこなら家から通えるで、行かせらるっと。兄さんたちの学費を送らねばならんでよ。男ん子には、なんとしてでん学問をつけてやらにゃならんのよ」

そう言われてあきらめるしかなかった。そして今、和田に行くことを父は望んでいる。

「よかよ、お父さんが言やんなら、行っが」

節子の声は小さかった。

三月に入って和田が蒲生の家に来ることになった。父は朝早くの乗合自動車で加治木の駅まで和田を迎えに行ったので、母と福子と節子の三人で囲炉裏を囲んだ。からいも飯を混ぜて、母がそれぞれの飯茶碗によそう。味噌汁の実は今日も大根の切干である。福子がちらっと節子の顔をうかがってから母に尋ねた。

「おっ母はん、和田さんはいつごろ来やっとな」

「乗合自動車がすぐに出れば、昼過ぎじゃいよ」

母は顔も上げずに答えると、鍋のふたを開けて、自分の汁椀に味噌汁をついだ。母は味噌汁に鰹のセンジを溶き入れて何杯もお代わりをする。朝飯がすみ、節子が昼食のさつま汁の味を見た後、洗い物をしていると母が庭から入ってきた。

「まぁだ、そげんこっして。片付けはあたいがすっで、早よう着替えをしやらんか」

そう言うと、節子を押しやって流しの前に立った。

濡れた手をふき、土間から上がると奥の納戸に入って戸を閉めた。薄暗いなかで、衣桁にかかる袷の模様がぼんやりと浮かぶ。えんじの地に大きな黄色の花柄の着物は病気になる前のもので、今では派手だがよそ行きはこれしか持っていない。家で蚕を飼っていた頃、母が取り除けておいたくず繭を、織り屋に出して染めたものだ。

帯を巻きつけていると、福子が入ってきて、後ろに回り締めるのを伝ってくれた。身じまいをすますと鏡台の前に座って、自分の顔を初めてみるように見つめた。きめの細かい肌が浅黒く光り、吊り上がった目がじっとこちらを見つめている。

「こん着物、派手じゃなかろうか」

鏡の中の福子に尋ねた。

「姉さんは背が高けで、こんぐれおっきな柄がよかよ。あたいなんぞが着れば、ちんどん屋じゃらお」

福子は笑っている。

「今日は、和田さんが姉さんを見に来やっとじゃろ。ちいっと白粉を塗っせ、口紅どもさせばよか」

白粉も口紅も似合わないと思うが、福子が何度も勧めるので薄くつけた。

娘時分にまだ裏の川で泳いでいたら、すぐ上の四兄、道夫に叱られたことがある。

「おまんさぁは日に焼けて真っ黒じゃっで、前も後ろも分からんよ。それに冷飯草履なんぞはいて、年頃なんじゃから、ちったぁ身を構いやらんね」

道夫は器量のよくない節子を心配していたのだろう。

迎えに出た父と一緒に和田はやってきた。家に上がり、母に「そこい座いやったもんせ」と勧められて囲炉裏のそばに正座すると、「このたびはお世話になりまして、ありがとうございます」と言って手をつき挨拶をした。節子は慣れない化粧と胸高に結んだ帯のせいで、他人の体のようにぎこちなく、黙ってお辞儀をした。

和田と会うのはこれで二度目だ。姉たちが四日市に引っ越す前に住んでいた大阪の家に遊びに行き、一週間ほど世話になって、宝塚歌劇を観たりあちこち見物したことがある。

和田はその頃と比べるとすっかりかっぷくがよくなって、口ひげをはやしている。

用意した料理を並べて昼食になった。母がからいもを除けて米のところを和田と父の茶碗によそってから、残りを、女三人によそう。

「早いもので早苗が女学校に入学しましてね。鞠子は五年生です。武史は三年生になって急に背が伸びて、組でも前の方だったのが、真ん中より後ろに並んでるんです」

父は大きくうなずいて、目をしばたいている。母はいつもどおり黙って表情を変えない。

和田は鶏のぶつ切りを入れたさつま汁の椀を手に取り、一口すすった。

「そいで、美弥の足はいけな具合じゃね」

「膝が治らなくて……曲がったままなので、幼稚園も行ってないのです」

「んだも、そげなふうなら歩けやせんが。澄子のおっときから膝が悪かっちことじゃったが、いけんすればよかどかい」

父は首をかしげ考え込んでいる。美弥は小さい時に膝が腫れ、医者に診せると関節炎との診断だった。すぐに治るような話だったが、そうではなかったのだ。

食事が終わると、父は和田を家の裏手にある墓地に案内した。節子と福子も後にしたがった。「和田澄子之墓」と刻んだ墓の前にしゃがんで、和田は長い間手を合わせている。

節子はその背中を見ていた。背広の背縫いが引っ張られてはちきれそうだ。和田は立ち上がると、箱形の写真機を墓に向けて上からのぞきこみ、横についている取っ手を回した。

少しその辺を案内するようにと言って、父は先に帰って行った。背筋をのばし、体を左右に揺すりながら、下駄の音を響かせて歩く後ろ姿を見送った。残された三人は和田をはさんで、川に沿った道をゆっくりと歩いた。あたりの畑は一面の菜の花で、陽の光に輝いている。

「体の方はもうすっかりよくなったの」

和田が節子に顔を向けた。

「はい」

「一年も前から元気になっちょいやって、今日の料理も全部(すっぺ)、姉さんが作いもした。あたいなんぞは胡麻をすっただけじゃがよ」

横から首を伸ばして福子が口をはさんだ。和田はふふっと笑った。

さつま汁に入れた鶏を絞めたときの、長兄の正夫の顔が浮かんだ。

昨日、釜に湯を沸かして、離れの正夫のところに向かった。次兄や三兄が東京の大学に通っていたころも、帰省したときに鶏の始末を頼んでいたが、そのたびに全身で嫌がるので気が重かった。

「兄(あん)さんはおいやっ」

縁先から声をかけると、義姉の千代が顔を出したので用件を伝えた。

「待っちょってくれんね」

千代が引っ込んでしばらくたって正夫が出てきた。

赤ん坊の時の中耳炎がもとで耳が聞こえないので、身振りで伝えるか、紙にカタカナを書いて見せる。庭を歩き回る鶏を指さし、ぎゅっと固めた握りこぶしを重ねて絞める真似をした。正夫はうなずき草履をはいて庭に下りてきたが、顔をゆがめて立ったまままいっこうに捕まえようとしない。それでもようやく鶏を追いかけて捕まえ、両足を縛って杭につり下げた。逆さにされた鶏はけたたましく鳴いて、羽をばたばたさせてもがく。

正夫は顔をそむけ、じりじりと後ずさりしていく。節子は見ていられなくなって、縄を手にしてそばに行き、首に回して思い切り絞めた。ぐったりしたところを押さえて羽を結わえた。やっと正夫が近づいてきて出刃包丁で首をはね、だぁっと血が流れた。鍋で受けたが、しぶきが少し着物のすそにかかった。節子は鶏を湯につけて羽をむしり、ぶつ切りにした。手に生暖かさが残った。

「じゃあ、そこの橋の上で写真を撮ろうか、二人並んで立ってみて」

板を二枚渡しただけの橋の上に並ばせておいて、和田は長い間写真機をのぞきこみ取っ手を回した。あっちを見るようにとか、こっちを見てとか注文をつけて、何枚も撮った。家に戻ると、和田は仕事で博多に寄ると言って、泊まらずに帰っていった。父が乗合自動車に同乗して加治木の駅まで送って行った。節子は門口で見送ってから家に入った。

「そいで、いつ頃姉さんは行っきゃることになるんじゃろうね」

先に中へ入った福子の声が聞こえたが、母の返事はなかった。

そのあと話が正式に決まり、八月に父が節子を和田の家に連れて行くことになった。後妻の話があってから、道夫兄さんが家にいてくれたらと、何度思ったか知れない。しかし七月に支那事変が起きて、召集され北支に送られていた。それ以来父は新聞を買ってきて、晩酌をしながら声を出して読むようになった。道夫の第六師団が杭州湾に上陸し、南京に向けて進撃すると、新聞には日の丸の小旗がたくさん書かれた地図が載った。

「こいはな、あっちこっちから進んで包囲する作戦じゃよ」

父は小旗を指で押さえて悦に入った。そして南京が陥落した日、新聞を開いて「さすがじゃ、ようやりやった」と喜んだ。城壁に日の丸の旗が立ち、兵隊さんが万歳をしている写真を食い入るように見ていた。

「道夫は不真面目じゃって、輜重兵にしかなれんのよ」と嘆いていたのがうそのようだ。一方の母は、そんな父にお構いなしにもくもくと箸を動かす。

この前久しぶりに道夫から手紙が届いた。父は字の読めない母に読んで聞かせた。

「無事じゃっと。よかったお。もうそろそろ帰してもらえるんじゃなかろうかっち、思い方じゃ。事変はすぐに片付くっち、聞いちょったが」

母はそう言うが、新聞によると戦争はだんだんと広がっている。東京オリンピックが中止になったとも書いてあった。戦争のせいらしい。でも戦争は大陸でしている。

夜汽車に揺られて眠れないまま、頭の中に浮かぶ切れ切れを追いかけているうちに、胃のあたりがスースーしてきた。弁当を少し食べてみることにして、膝の上に広げた。白い飯と黄色い卵焼き、焼き魚、赤い生姜漬けなど鮮やかな色が目に入った。家で食べる煮しめとは違うし、何よりも飯が白い。飯だけを食べようと思って箸をつけると、余計に腹が空いて、全部を食べ切ってごくりと茶を飲んだ。

翌々日、四日市に着いた。父は橋を渡り、海に突き出た一帯に向かった。あちこちに工場の煙突が突き出し、緑のない灰色の街だ。同じつくりの二階家の並ぶ道を右に左に曲がって、父は一軒の家の前で立ち止まった。門司の叔父の官舎よりもだいぶ小さい。

「ここじゃいよ、澄子ん家は」

父が声をかけて玄関を入ると、子どもたちがどやどやと出てきて「おじいちゃん、いらっしゃい」と言って取り囲んだ。

部屋に入って座卓に向かうと、子どもたちが向かいに並んだ。

「ほら、節子叔母さんじゃっど。挨拶せにゃ。早苗に鞠子、武史、美弥よ」

父に促されて子どもたちは恥ずかしそうに、「こんにちは」と挨拶した。

長女の早苗は髪を二つに分けて結び、半袖のワンピースを着た体格のいい子だ。次女の鞠子の白い襟のワンピースが窮屈そうだ。そして長男の武史。この一人息子が中耳炎になって、澄子は夜も寝ないで看病した。ところが自分も中耳炎にかかり、敗血症になって命を落としたのだ。武史の面長の顔は父に似ている。その後ろで横座りをしているのが美弥だ。伸び放題の髪が額にかぶさって見苦しい。世話する者がいないのだろう。

夕方、和田が帰り、近所から取り寄せた仕出しで夕食を囲んだ。女中の克枝が台所と座敷を行き来して給仕をした。節子は美弥が魚を食べるのを手伝ってやった。

夕食後、和田が子どもたちを呼んで言った。

「今度、節子叔母さんに来てもらうことになってな、これからはお母さんやと思って甘えたらええんやで」

「それで、何と呼んだらいいの」

早苗が節子に尋ねた。四人の目がいっせいに注がれる。「お母ちゃん」とは呼ばれたくない気がした。ふいに「ママ」という言葉が口をついて出た。

「ママと呼んでくれたらいいわ」

「ママか。そらまた、えらいハイカラやな」

和田が笑った。

翌朝、克枝が用意した朝食を見て、節子は驚いた。なんと粗末なんだろう。飯にからいもは入っていないが、おかずは、さいの目に切った豆腐がほんの少し浮かぶ味噌汁と、ちいさな海苔が一切れ。武史はその海苔を切手くらいにちぎって醤油をつけ、小皿のふちに張り付けておき、飯に乗せて口に運ぶ。

出勤する和田を見送り、脱ぎ捨てた浴衣をたらいに入れて、洗濯に回した。学校が休みなので子どもたちは部屋で思い思いに過ごしている。

まず、縁側に美弥を座らせて古新聞を拡げた。首に手拭いを巻き付けて、はさみで切っていく。量が多くて切りにくく不ぞろいになった。新聞紙の上に黒い髪が盛り上がった。

「ほら、すっきりしたでしょ」

短いおかっぱ頭になった美弥は、手鏡をのぞき込んでいる。

克枝が洗濯をしている間に、家の中を見て回った。玄関の横の扉を開けると、中は板敷で、正面の壁に薔薇の絵がかけてある。きれいな色だ。籐椅子の応接セットと丸い卓、オルガンと飾り棚が置かれ、棚には皿や壺や石仏の頭がずらりと並んでいる。はたきを掛けるとき気をつけないと壊しそうだ。

「澄子の婿どんは、骨董なんぞが好っじゃって、どしこでん金をつぎこみやるげな。太か会社で月給をずばもらっちょいやっから、好っ勝手しやんのよ」

以前父が独り言のようにつぶやいていた。きっとどれも高いものだろう。

額に入った小さな写真が壁にかかっている。近づいてみると、澄子が黒紋付の羽織を着て芝生に横座りしている。椅子に座る武史は、幼稚園の制服につば広の帽子、入園式の日だろう。美弥は武史の横で笑っている。早苗と鞠子はおかっぱ頭の小学生。これから二年後に、澄子が子どもたちを残して亡くなるなんて、誰に想像できただろう。

座敷の押し入れに、タンスほどの高さの黒塗りの仏壇があった。扉を開けると中は金色で、黒縁の遺影がある。澄子が大きな目をこちらに注いでいる。手前にある金襴の袋には、まだ遺骨が入っているのだろう。扉を閉めると、ぎーっときしんだ音を立てた。

ひと通り家の中を見て回ると、ワンピースに下駄をはいて克枝と買い物にでた。たくさん買い込んで、克枝に持たせて帰る途中、道端で、手拭いをかぶった漁師のおかみさんが、ザルに盛った鰯を売っていた。緑色の鰯が跳ねている。しかも一盛り三銭とは安い。

「二盛りちょうだい」と声をかけたら「まだ買うんですか」と背後から克枝の声がした。

「すり身にして揚げて、朝ごはんに出すのよ。海苔だけじゃあ足りないわ」

振り返ると、克枝の不服そうな顔が目に入った。

「わたしは奥様がなさっていた通りにしているだけですけど」

「子どもは日に日に大きくなるのよ、もっと食べさせないとだめよ」

先に立って足早に歩いた。確かに「奥様がなさっていた通り」にしているのだろう。澄子の家に泊めてもらった時、和田の言葉に、澄子は頭を下げてしおらしく「はい」と応えるだけだった。しかも、和田にだけ刺身をつけた。和田は酒を飲みながら、白や赤の刺身を口にした。子どもたちは誰もねだらないし、和田もやろうとしない。和田にだけ刺身を買わなくてはいけないのだろうかと思ったが、買わないことにした。

夕方和田が帰ってくると、シャツとズボンを脱いで浴衣に着替える。節子は背中から浴衣を着せかけ、脱いだズボンを衣桁にかけ、シャツを洗濯物のところに入れる。

みんなの風呂がすんでから、美弥と一緒に入った。石鹸を泡立てて頭からつま先までこすったが、髪がまだねとねとしている。もう一回石鹸をつけてから洗い流した。美弥は湯槽に入ってふちにつかまり「体が浮いてるにぃ」と言って笑っている。

「ここ、痛くはないの」抱き上げて、曲がったままの右膝をなでた。膝の上が細い。

「今は痛いことないにぃ。前は痛かったけど」

風呂から上がって髪をふいてやると、さっぱりして気持ちよさそうだ。

父は三日泊まって帰っていった。

少したって、和田が「これで要るもんを買うたらええ」と言って二十円を渡してくれたので、節子は鏡台を買うことにした。和田の家に来てからは、澄子の嫁入り道具の箪笥から、着物を取り出して柳行李にいれて押し入れの奥にしまい、その後に自分のものを入れて使っている。せめて鏡台くらいは自分のものを持ちたい。

家具屋に行って、全身が写る大きな鏡台を選んだ。あずき色の塗りがきれいなのが気に入った。届けられた鏡台を夫婦の寝間の隅に置き、引き出しに黄楊の櫛、クリーム、化粧水などを入れた。鏡に映る自分の顔を見ていると、結婚したのだと思えて来た。

着物の端切れで覆いを縫ってかけた。澄子の使っていた鏡台は、早苗と鞠子の部屋に移した。和田に値段を聞かれて二十円と答えると、驚いて目を丸くしている。


暑い日が続くので、寒天を煮て弁当箱に入れ、井戸水で冷やしておいた。おやつの時間になったので、切って皿に入れ、上から砂糖水をかけた。そのとき、コトンコトンと階段を下りる音がして、美弥が台所の入り口に姿を見せた。

「ねえママ。克枝さんとお姉ちゃんたちがねぇ、ママハハニクイ、ママハハニクイ、ってママの浴衣を布団たたきでたたいてるにぃ」

ママハハニクイ、継母憎い、って。

げんこつで殴りつけられたような痛みが走る。体がすくみ、かっと熱くなった。匙を手にしたまま、思わずにらんだ。美弥は無心な笑顔を向けている。

「さあさあ、おやつよ。そこに座ってごらん」

自分の声が他人の声のように聞こえる。美弥の前に皿を置き、外にいる武史を呼んで、節子は台所の椅子に腰を下ろした。体の芯がぶるぶると震えている。

階段を勢いよく下りる音がして、早苗と鞠子が入ってきた。「ママ、わたしにもちょうだい」と鞠子が声を上げた。思わずじっと見つめると、屈託のない顔を向けている。節子は二人の前に皿を並べてから二階に上がって行った。克枝が布団をかかえて取り入れていた。

「子どもたちにつまらないことを吹きこまないでよ!」

節子は声をおし殺した。克枝の顔が赤くなって立ちすくんでいる。節子は手すりから浴衣を取ると脇に抱えて階段を走り下りた。勝手口から外に出てまっすぐ井戸端に行き、たらいにいれた。和田の家にくるとき、着るものは何も新調しなかったが、母が「寝巻の浴衣ぐれは、新しかもんを持て行かさねばならん」と言って、浴衣地を買ってきた。大きなあやめの柄だ。それを自分で縫って荷物にいれたのだ。

浴衣を見つめていると、あやめがしだいにぼやけてにじんでいく。あわててポンプを押して勢いよく水を出した。藍色に水がしみていくのをじっと見ていた。

その晩、克枝がしまい風呂に入っているときに、昼間のことを和田に訴えた。「ママハハニクイ」を口にするとき、声が詰まった。和田は驚いて、盃を持つ手を宙に浮かせたまま節子を見た。そして目を伏せてため息をつき「そうか」と言って黙りこんだ。ゆっくりと盃を口に運ぶ。喉仏が上がってまた下りる。

「克枝に暇を出すわ。まあ、澄子が亡くなってから、子どもらの面倒を見てくれてたんや」

だからといって、今日のことはあんまりではないか。

代わりの女中は、節子が父に手紙を書いて見つけてもらうことにした。

だが、布団に入ってもなかなか寝付けず、蚊帳の中で何度も寝返りを打った。和田は隣で軽いいびきをかいている。芯にかたまりをかかえたようだ。

――嫌なら、いつでん帰(もど)ってくればよか。

家を出るとき母が言った言葉が頭をもたげる。ため息をついてまた寝返りを打った。

二日後、克枝は荷物をまとめて出て行った。

日曜日の朝、和田が万古焼の窯元に行こうと誘った。器に興味はないけれど、気を遣ってくれているのがわかるので、着物に着替えて日傘をさして出かけた。二人きりで出かけるのは初めてである。電車に並んで座ると、和田は単衣の懐から扇子を出してあおいでいる。十七歳も年が離れているから、人の目にどう映るのだろう。

電車を降りて、皿や急須を並べた店が続く通りを和田の後から歩いた。肌色の小皿が目に留まり手に取った。松と花の絵が描いてある。和田の家の食器はどれも骨董品で、扱いにくい。これならなににでも使えると思って見ていると、和田がそばに来て「それ、いいやないか、買おうか」と言った。帰ってから食器棚の一番手前に収めた。

頼んでおいた女中を連れて、父が鹿児島からやってきた。美津子という名前で、少し前に尋常小学校を終えた子だ。仕事を覚えるのに時間がかかりそうだ。

「美津ちゃん、明日の朝の飯炊っ、頼んよ」

晩にそう言いおいて茶の間で靴下の繕いに取りかかった。女学生の黒い靴下はすぐに穴があく。靴下に電球を入れて黒いカタン糸で繕っていると、美津子が顔をのぞかせた。

「奥さん、かれもは、どけ置いてあっと。見当いもはん」

「からいもは置いてなか。ここじゃ、米だけ炊っのよ」

美津子は目を丸くして口を開けている。節子はちょっと笑った。

父は二日泊まって節子の様子を見届けると、鹿児島に帰った。

美津子が家事に慣れてきたので、余裕ができ、鞠子のワンピースをこしらえることにした。白地に牡丹色の花柄の生地を買い、婦人雑誌の付録を使って裁断した。ミシンを踏むのを、遠くから見ていた鞠子がそばに来て「なに、作ってるの」と聞く。「あんたのワンピース」と答えると、笑顔が広がった。鞠子が初めて節子に笑顔を向けた。

出来上がったワンピースを畳に広げると、鞠子はすぐに手に取って袖を通し、鏡台の前で眺めている。両手でスカートをつまんでくるっと回ると、スカートが広がって揺れる。

「よく似合ってるよ」

「そう、うれしい。今度学校に着て行ってもいい」

「いいよ、どうぞ、着て行って」

本当にうれしそうにしている。作ってよかったと思った。

晩に玄関の戸締りを確かめていると、玄関わきの部屋からかすかに明かりがもれてくる。電灯を消し忘れたと思ってのぞくと、鞠子の姿があった。壁の前でじっと家族写真を見つめている。節子は足音を忍ばせてその場を離れた。鞠子は四人の中で一番母親を恋しがっているようだ。

学校が始まった。一番初めに女学校一年生の早苗が家を出て行く。次は小学校五年生の鞠子、そして三年生の武史。最後に和田が出勤する。

みんなを送り出して一段落し、郵便受けを見ると鉛筆書きの、和田あての封筒が入っていた。切手が貼ってなくて、隅に赤鉛筆で軍事郵便とある。裏返すと「中支派遣……隊本部　野村道夫」と書いてある。相変わらず読みにくい癖字だ。

和田の帰りが待ち遠しかった。夕食の後、和田が読んでから「道夫さんは苦労してるんやなあ」と言って手紙を渡してくれた。

便箋の一枚目には、廬山付近で敵の抵抗が激しくて戦闘が続いているが、漢口を攻撃すれば後はそれほど難しくはないと戦況が綴られている。二枚目からは節子のことだ。和田の家に入ったことを父が知らせてやったのだ。

——何分田舎者で何かと御不自由な事と思ひます。

——子どもですから子どもの教育等仲々困難な事で貴殿にて御指導御教育下さい。

節子はくすりと笑ったが、兄貴ぶった物言いが胸にしみた。「凱旋した折には参上いたします」とある。早くそうなってほしい。手紙をタンスの一番上の引き出しにしまった。

しばらくして、新しいからいもが出回り始めた。リヤカーに乗せて売りに来る農家のおばさんからたくさん買って、夕食のてんぷらにした。ガスを弱火にして箸で何度もひっくり返していると、玄関に誰か来たようだ。オルガンの音が止んで早苗が出て行った。

「ママ、電報よ」

差し出す紙切れを受け取った。父に何かあったのか。それとも母か。手が震えてうまく開くことができない。

「代わって」さい箸を渡して、電報を開いた。

「ミチヲ　一七ヒ　クマモトリクグンビヨウインニテ　シス　チチ」

道夫兄（あん）さんが死んだ。そんな……。この前手紙をくれたばかりなのに。どうして。死ぬなんて。節子はその場に座り込んで電報を握りしめた。

「ご飯はまだ」武史が勝手口から顔をのぞかせた。

「どうしたん。ママ」

「道夫兄（あん）さんが、け死みやったっち、電報が来たがよ。兄（あん）さんが死ぬなんち」

手で顔を覆った。涙があふれて頬をつたっていく。

その晩、みなが寝静まるのを待って茶の間に座った。最後となった兄の手紙を引き出しからとり出して、読んだ。また涙が湧いてくる。凱旋、凱旋と何度も書いていた。さぞかし帰りたかったことだろう。

出征の日の光景が目に浮かぶ。家の前の馬場通の、イヌマキの生垣に沿って、在郷軍人会や元の郷士集落の人がぎっしり並んでいた。「祝　野村道夫君出征」と書いたのぼりの横で、白麻の上着にカンカン帽の道夫は直立不動の姿勢で挨拶をした。日差しが強く、つばの下の顔は陰になって見えなかった。

衣類の洗濯をし、綿を打ち直しに出し、布団側を洗って綿を足して入れる。体を動かしている方が、気が紛れた。

しばらくして節子あてに福子から大きな封筒が届いた。手紙と葬式の写真が入っていた。家の前の道にみんなが並んでいる。赤塚の祖母、父と母、貴子と福子。母はぼう然と遠くを見ている。遺影を持つのは父の弟。出征前に蒲生の写真館で撮ったものを大きく引き伸ばしてある。忠魂、英霊と書いた幟をくくりつけた竹が、何本も空に向かって突き出ている。たくさんの花輪。白装束の神主。盛大な式だったと福子が書いてきたけれど、死んだらおしまいだ。結婚もせず、子どもも残さず、二十九歳で逝ってしまった。ぐらしか。

それから間もなく、第六師団が漢口入りしたと大きく新聞に載り、ラジオ放送もあった。通りで人と会うとその話題でもちきりだ。

年の暮れになるとラジオから「麦と兵隊」の歌が流れてきた。

「徐州　徐州と　人馬は進む　徐州　いよいか　住みよいか」

節子はラジオに合わせて小声で歌ってみた。威勢がよくて、そのくせどこか悲しい曲だ。

徐州会戦のころ、道夫は元気だった。


毎晩のように宴会で遅く帰宅する和田が、珍しく早く帰った。着替えをすまして茶の間に座ってあぐらをかいた。

「会社の人の話で、大阪の天満橋に腕のええ按摩がいるそうや。そこで美弥を治療してもらおうと思うんや。四月には小学校に入ることやし。連れて行ってくれるか」

日ごろは口に出さないが、やはり気にかけているのだ。

「宿は豊中の妹のところに泊めてもらうように手配するから」

和田の末の妹は節子と同じ歳で、奈良の女子高等師範学校を出て女学校の先生をしている。以前大阪の澄子の家に遊びに行ったときは、同居していた。その後結婚して豊中に住み、勤めを続けている。

和田から当座の費用を渡され、着替えを入れた手提げを持ち、美弥を負ぶってねんねこはんてんを着た。下から、足がにゅっと出ている。教えられたとおりに、関西線に乗って天王寺で降り、そこから城東線で大阪に出て、市電に乗り換えて天満橋に着いた。道行く人に聞きながらたどり着いたのは、病院らしくない普通の家で角谷治療院と看板が出ている。入り口の戸を引き開けると、土間を上がったところに畳の待合室があり、中の人が一斉にこちらに顔をむけた。年寄ばかりが火鉢を囲んでいる。受付けをすませて中に入り、美弥を下ろして座らせている間も視線がまとわりつく。

長く待ってようやく呼び入れられた。白い上っ張りを着た、髪の薄い中年の男が、ベッドに美弥を寝かせて膝を触った。

「こらぁ、関節が固まってもうてるなあ。長いことほっといたんやなあ」

「どうですか。治りますか」

「まあまあ、ちょっと痛いけど我慢するんやで。治療するからな」

膝の周りをもんだりさすったりしてから、押さえて少し体重をかける。

「痛い！」美弥が大きな声をあげる。

「我慢せな」今度は前より力を入れて押さえる。美弥の声は悲鳴になった。

「初めてやから今日はこのくらいにしとこう」

按摩が手を止めたとき、節子はほっと息をついた。あんなに痛がっているのに、大丈夫だろうか。外に出てからもしゃくりあげている。涙をふいてやり、またおんぶしてねんねこを着てゆっくり歩く。美弥が眠りこんで背中がずしりと重くなった。

義妹の帰宅は遅いと聞いていたので、梅田の阪急百貨店をのぞいて見ることにした。石造りの階段を上って二階に行くと、昼なのに、高い天井からシャンデリアがきらめいている。別世界に入り込んだようだ。売場には、しゃれた洋服を着たマネキンが立っていた。この長いスカートをはいてみたいと思う。歩くうちに、大食堂の前に出た。正面に金縁の大きな楕円形の鏡が見えた。ねんねこを着た女が遠くから近づいてくる。見覚えのある着物の柄。自分だ、とわかったとたん、くるりと向きを変えて急いでその場を離れた。

電車に乗り、豊中駅で下りて和田の書いた地図を頼りに義妹の家にたどり着いた。通勤着の上から割ぽう着をつけて義妹が忙しそうにたち働いていて、なかなか夕飯になりそうにない。そのうち義妹の夫が銀行から帰って来た。

「お世話になります」節子は何度も頭を下げた。

次の日も天満橋に行ったが、治療院の前まで来ると、美弥がぴたりと足を止める。

「さあ、中に入ろう。美弥ちゃん」

せかしても、首を横に振って動かない。しゃがんで顔をのぞき込んだ。

「マッサージしたくないの。嫌なの」

こくんとうなずき、てこでも動きそうにない。仕方がないので看護婦を呼んだ。看護婦が出てきて美弥を連れて入り、マッサージが始まると、悲鳴を上げる。義妹の家に帰り、部屋の隅で夕食ができるのを待つ。

待っている間は手持無沙汰で、知らず知らずに義妹の手元に目が行く。なんてまどろっこしいのだろう。お嬢さん育ちで勉強ばかりして、台所仕事に慣れていないのだ。遠慮しないで「これとこれを作っておいてちょうだい」とまかせてくれれば、買い物も料理もするのに、働かないで待っているのはつらい。四日市に帰ったときには心底ほっとした。

「ご苦労さん。どうやった。効きそうか」帰宅した和田は一番に尋ねた。

「痛がって、泣いて泣いて。いいんでしょうかね。あれで」

「そうか、まあ、しばらくやってみんことには効果は出んやろう」

深いため息をついた。

「宿をとってもらうわけにはいきませんか。仕事を持ってる人に、帰ってきてから食事の世話をしてもらうのは、気がひけます」

「いやぁ、そんなこと気にせんでええ。あいつが結婚するまではずっと家に住まわせて、食費もとってなかったんやから」

そういうことではないのだけれど、節子は口をつぐんだ。

それから一カ月おいてまた天満橋に行った。美弥は中に入るのを嫌がり、看護婦を呼ぶ。待合室まで聞こえる泣き声を耳にしながら、本当に効くのだろうかと疑いが増す。しかし、和田が決めたことに口を出せない。


姉の命日の四月九日がやって来た。和田に来て初めて迎える命日である。小豆を炊いておはぎをこしらえ、仏壇の掃除をして供えた。下の二人はおはぎを食べるのに夢中だが、上の二人は長い間仏壇の前に座っていた。

それから和田が、座敷に子どもたちを呼んで節子の前に座らせた。写真機を上からのぞいて、「ママにもたれてごらん」「笑って」と注文を付ける。そしてハンドルを回す。美弥から、日なたくさいような、乳臭いようなにおいがした。

現像した写真が座卓の上に置いてあった。美弥は少し笑みを浮かべて節子にもたれかかっているが、三人に笑顔はない。

美弥が小学校に入学した。毎朝、門口に立って見送ると、一足ごとに、ランドセルが傾く。鞠子が一緒に行ってやればいいのに、友達と待ち合わせてさっさと先に出ていく。心配していたが、毎日機嫌よく登校した。ところが学校に慣れた頃、朝ごはんの途中で美弥の声がした。

「学校に行きたない」

見ると箸をおきうつむいている。

「どうしたの」

節子が尋ねても、美弥は口をへの字に結んだままだ。

「なんやて、学校に行かんでどないするねん」

食卓の向かいから、いきなり和田が箸箱を突き出して頭をたたいた。美弥の頬にぽろぽろと涙が伝った。

「なにも小さい子に、そんな……」

思わず和田に向かって強い言葉が出た。

「ママが一緒に行ってあげるから、さあ、さあ」

なだめすかして、ランドセルを持ち、並んで学校に向かった。

母が正夫のことで、何度も嘆いた言葉が浮かんでくる。

「ないごてあげん、ひどからかうんじゃろうか。あん子はなんも悪りことせんのに」

横須賀にいた頃、まだ小さかった正夫が、近所の年上の子にいじめられたのだ。

武史が何か知っているかもしれないので、その晩、応接間に呼んだ。

「美弥ちゃんが学校に行きたくないって言うけど、武史ちゃん、何か知らない」

武史はしばらく黙っていたが、口を開いた。

「昼休みに運動場に出たら、美弥は桜の木のところに一人でいるんや。けど、昨日は美弥の周りに男子が二三人いて、俺が近づいたら、さっと離れていった」

その子らが足のことでいじめるのに違いない。美弥は女組だから、男組の子たちだろう。

「どこにでも、悪い子がいるもんや。嫌なやつ」

節子は見えない相手に向かって、吐き出すように言った。

「運動場では、なるべく美弥ちゃんの近くにいてやって」と頼んだ。武史が「そうするわ」と答えたので、ほっとした。

茶の間に戻ると、晩酌を終えた和田が腕枕で眠っている。

「ねえ、あなた、美弥のことですが……」

言おうと思っていた言葉が口の中で消えていく。行きたくないという日には、ついて行くことにした。


十一月になって、赤塚の叔母が訪ねて来た。叔父の出張について大阪に来たのだ。

「節子さん、元気でやってるの。みんな変わりない。うちの方はみな元気よ」

例によって早口でまくし立てる。挨拶に出た美弥を見て声を張り上げた。

「あらぁ、足はまだ治っていないのね。このまま放っておいちゃ大変な事になるわ。節子さん、どうしてるの。どこか医者に診てもらってるの」

大阪まで通っていると応える。

「そんなことじゃだめよ、いいお医者さんに診せなきゃ。わたしが紹介するから慶応病院に行きましょう。うちに泊まって診てもらったらいいわ。それからのことは後で」

有無を言わせない口調である。晩に和田が帰り、叔母の申し出を受けることになった。

和田が連れていく日が決まり、父に知らせると鹿児島から出てきて、ついて行った。赤塚の家に泊まり、次の日病院で診察を受け、翌日に入院となった。

和田は一泊して帰ってきた。家に上がるとすぐに着替えて、ちゃぶ台の前にどさりと座ってあぐらをかいた。ずいぶんくたびれて見える。

「一本つけてくれ」

節子は立ち上がって、かまぼこを切り、燗をして運んだ。

「お医者さんは何と言っていました」

「動かしたらいかんようや。ギブスで固定して、それから手術するんやて」

あんなに痛がっていた治療は、やはりよくなかったのだ。

「動けんから、付添婦を頼んできたわ」

「まだ小さいですからね。それで、やっぱり関節炎なんですか」

「それがな、ただの関節炎やと思ってたら、結核性やったんや」

和田が声をひそめて言った。

「結核だったんですか」

ぞくっとなった。関節が結核にかかるなんて考えもしなかった。和田のすぐ下の妹と弟夫婦は若い時に肺結核で亡くなっている。父に言わせれば、和田の家は肺病筋だ。

和田は杯をちゃぶ台に置いたまま、大きなため息をついた。

「曲がった膝を伸ばすんやけど、曲げ伸ばしはできんようや」

「それじゃあ伸びたままってことですか。なんとまあ」

澄子姉さんが生きていたらどんなに嘆くことか。


年が明けた昭和十五年の二月に、ようやく美弥が退院することになり、節子は東京まで迎えに行った。東京は初めてだが、和田に教えられたとおりに行き、迷うことなく赤塚の家について、その晩は泊めてもらった。

翌朝病院に着いて部屋をのぞくと、窓際のベッドに腰かける美弥の後ろ姿が目に入った。白い病衣を着た背中がなんとも小さい。付添婦の姿は見えない。

「おはよう。美弥ちゃん、迎えに来たよ」

明るく呼びかけると、ぱっと振り向いた。

「ママ、来てくれたん」

はにかんだ笑顔が浮かんだ。髪が伸びて額に覆いかぶさっている。帰ったらすぐに切らなくては。風呂には入れてもらっているのだろうか。

備え付けの物入れから、服をとりだしてベッドに並べて置いた。

「さあさあ、脱いで、これを着て」

白いセーターと紺色のジャンパースカートに着替えさせる。右足が伸びたままなので、黒い長靴下を手繰って輪を作り、足先を入れてやった。

着替えが済んで荷物をまとめ終わり、並んでベッドに腰かけていると、医者が入ってきた。慌てて立ち上がった節子に、髪に白いものが混じる医者が言った。

「お母さん、今日で退院ですが、まだ菌が潜んでいますからね。いつまた、暴れだすかわかりません。まあ、爆弾を抱えているようなものです。くれぐれも気を付けてください」

節子は「はい」と返事してうなずいた。医者はちょっと考えてから言葉を継いだ。

「寝るときは家族と別の部屋にして、一人で寝かせた方がいいでしょう」

それだけ言うと足早に部屋を出て行った。節子は頭を下げて見送った。「爆弾」の言葉が重い。美弥の方を見ると、じっとうつむいている。

「さぁ、行こうか」

声をかけると、美弥はベッドから立ち上がり、ごつい木製の松葉杖を両脇にあて、ゆっくりと歩き始めた。

東京駅に出て東海道線に乗った。名古屋駅で関西線に乗り換えるには、長い階段を下りて、また上らなければならない。

「美弥ちゃん、慌てなくていいよ。ゆっくりとね」

下りる時が特に危なっかしい。

四日市駅に着くころには日が傾いていた。人通りの多い通りを歩いて行くと、人がすれ違いざまに首をめぐらして、物珍しそうに見る。

久し振りに家族そろって夕食になった。和田はホッとしたのか、機嫌よく杯を重ねた。

節子は晩に美弥と一緒に風呂に入った。右ひざに丸い傷跡がある。

「長かったね」

「うん、わたし、手術したら治ると思ってた」

「そうやね。でも、この方がまだましでしょ」

そうは言ってみるが、気休めだ。

「赤塚の叔母さんには世話になったね」

美弥は黙って両手で湯をすくい、それをこぼすのを繰り返す。

「結核やと分かってから、叔母さんはただの一回も病院に見舞いに来んかったんよ」

ぽつりとこぼれた言葉に、叔母の家で肋膜炎になったときを思い出した。厄介払いするように、早く実家に帰れとせかされた。節子は湯をすくって、美弥の小さな両手のくぼみに注いだ。湯が少しずつ漏れていく。

「そう、そんなことだったん」

叔母さんはそういう人だからと、出かかった言葉を飲み込んだ。大きく息を吸ってから言葉を継いだ。

「でも、いい病院を世話してくれたからね。あのままにしてたらもっと悪くなってたよ」

医者に言われた通り、美弥の布団を四畳半に敷いて一人で寝るようにした。子どもたちが部屋に引き揚げてから、医者の言葉を和田に伝えた。「爆弾を抱えているようなものなんだそうです」と言うと、悲壮な顔つきになった。


春になって、和田が奈良見物に節子を連れ出した。子どもたちは「行ってらっしゃい」と玄関で見送ってくれた。

奈良公園に行くと松の木の間を鹿が歩いている。角が木の枝のように広がっている。

「まあ、たくさんの鹿が」

「神社の鹿やから、放し飼いにしてあるんや」

和田はさっそくカメラを構えて、日傘をさした節子に向ける。前から後から、写していると、鹿が節子のすぐそばにきて首を伸ばして鼻を近づける。怖くなって後ろ向きになったら、帯のたれが引っ張られた。

あっと思って振り返ると、鹿が帯の端をくわえて、お太鼓がほどけている。慌てて帯を手繰り寄せようとした。

「ああ、そのままじっとして」

和田は写真機を向けて何枚も撮った。鹿が帯を放して離れていったので、節子はようやく帯を取り戻してお太鼓を直した。

「ああ、怖かった」

「そうか、怖かったか。けどおかげで、ええ写真が撮れたわ」和田は笑顔を向けた。

公園を散策し、それから何軒か店をのぞいて、土産に菓子と奈良漬けを買った。

「奈良は一刀彫が有名なんや。ちょっと見て行こう」

和田について、ガラス戸を開けて店に入った。狭い店内に、小さな人形が並べてある。

「木をこんな細かく彫って、色を付けてあるのや。すごい細工やろう」

和田は手を伸ばして奥からひな人形を取り出した。節子は「そうですね」と言いながら、父も兄たちも人形なんかに目もくれなかった、ぜんぜん違う人なのだと思った。あれこれ手に取っていた和田が「これにするか」と言って見せたのは、親指ほどの人形だ。

「なんですか、これ」

「謡曲の高砂の翁と姥や。能装束やから色が鮮やかでええ」

和田が支払いをすますのを待っていると、店主が値段を告げるのが聞こえた。一カ月の生活費として渡される金額の四分の一ほどである。ポケットから財布を取り出す和田の後ろ姿をまじまじと見つめた。


昭和十六年になり、和田に来て三年目を迎えた。

布団の中で節子はあおむけになって、目をつぶったまま体が静まるのを待っている。隣の布団から、もう和田のいびきが聞こえてくる。終わってすぐに眠ってしまう、それが男というものなのだろうか。夫婦らしい会話も何もない。

まだ籍が入っていないことが胸につかえている。それとなく尋ねてみるが「ああ、そうやな。役所に行かんといかんな」と気のない返事である。

ずっと体の調子はよく、肋膜炎は治ったようだ。そろそろ子どもを生んでもいいかもしれない。それとももう少し様子を見るか。あれこれ思ううちに眠りに落ちた。

四月の半ば、節子は妊娠したことに気が付いた。だるくて眠い日が続き不安だったが、病気がぶり返したのではなかった。さっそく和田に告げると「おお、そうか、そうか、できたんか」とえらい喜びようで、すぐに入籍の手続きをしに役所に行った。父に手紙で知らせたら、「お前は病気をしているのだから、くれぐれも体に気を付けるように」と返事があった。美津子がいるから無理をすることもない。

まもなく赤塚の叔母からはがきが来た。叔父の出張について大阪に行くので、訪ねたいとあった。叔父夫婦が後妻の口利きをしたので、妊娠を知って訪ねてくれるのだろう。

玄関に高い声が響いて、手提げ袋を手にした叔母が姿を見せた。髪を束髪にまとめ、無地の着物と縞の羽織が歩くたびに重そうに揺れる。

「みんな元気だった。お土産持ってきたわよ」

玄関横の客間に通すと、叔母は袋からとり出した榮太樓飴とコロンバンのクッキーをテーブルに並べた。子どもたちが歓声をあげる。節子が台所でお茶の支度をしているところへ叔母が入ってきて、すっと身を寄せた。

「あとでね、ちょっと、話があるの」耳元でささやくとまた、客間に戻っていった。

話ってなんだろう。胸にもやもやが広がる。

夕食の後、子どもたちが部屋に行き、和田が風呂に入ると、茶の間に座った叔母が節子を手招きした。

「ねえ、節子さん。あなた、妊娠したんだって。お父さんから知らせてきましたよ」

その口ぶりに、はっとなって顔をあげて叔母を見つめた。

「ここはひとつよく考えないといけないわよ。あなたが子どもを生むと、家の中に波風がたつことになりますよ。和田に入ってだいぶたつのに、妊娠の話が聞こえてこないので、そこのところをちゃんと考えているなと思っていたのに」

そこのところって。叔母は妊娠を歓迎していないのだ。胸の中がざわざわする。

「和田は喜んでいますよ」

「いえね、男の人は家のことは奥さんに任せっきりでしょ。そこはあなたがしっかりしないと。わたしね、赤塚と再婚してすぐに身ごもったんだけど、自分の子を生んでしまうと、どうしても、赤塚の子どもたちの世話がおろそかになるでしょ。それに分け隔てなくできるかどうかわからないし。とにかく家の中がややこしくなるのが目に見えているから生まなかったの。ねえ節子さん。なんならわたしが世話になった病院を紹介しましょうか」

節子は、膝に置いた手を握り締めた。うつむいて、じっと黙っていた。

叔母は「じゃ、まあ、よく考えなさいね」と言い置いて立って行った。

一人になった節子の胸の中で、口に出せなかった言葉が渦まいた。叔父と叔母はどちらも再婚で、それぞれ子どもがいる。叔母は離婚の時、婚家に子どもを残してきている。わたしは初めて結婚し、初めて妊娠したのだ。一緒にはならない。

翌朝叔母が帰って行った後も、その言葉がからみついたままだ。美弥と風呂に入り先に上がらせると、ゆっくりと湯槽につかった。腹に手を当てる。いつもと変わらないぺしゃんこのお腹だ。産むんだから、と胸の中でつぶやいた。

つわりもなく、それまでと変わりなく仕事をしていた。五カ月になると、外から見ても分かるようになってきたので、子どもたちに和田から話してもらった。

十一月の半ば節子は男の子を産み、和田が雅彦と名付けた。和田はすぐに両方の父親あてに電報を打った。そしてさっそく写真を撮って現像し、アルバムを買ってくると誕生日の日めくりと一緒に張り付けた。

和田は会社から帰るとすぐに雅彦の寝ている部屋に来て、節子が乳を飲ませている前に座った。

「そうかそうか、乳、飲んでるんか。しっかり飲んで大きなるんやで」

近づいて、顔をのぞき込む。

「会社でみんなから、おめでとうございます、って言われてな、和田さん、お達者なことで、なんていう者もおってな」

笑っていたが、ふと気が付いたように言った。

「ほう、お前の胸、白くてきれいなあ」

「なんですか、いきなり」

節子はふふっと笑って胸元をかき合わせた。

和田の両親が琵琶湖の奥から出て来た。義父母に会うのは、嫁に来てすぐに和田に連れられて挨拶に行って以来である。

義母が雅彦を抱いたところを和田が写真に収めた。義父にも抱かせてまた写真を撮った。子どもたちは珍しそうに赤ん坊を囲み、早苗は世話をやこうとした。早苗が抱いている写真も撮った。節子はこの家にようやく身の置き所ができた気がした。

雅彦は順調に大きくなり十カ月になってすぐ、よろめきながら足を前に運んだ。

「歩いた！　雅彦が歩いた」

節子は思わず歓声をあげた。それから日に日に足取りがしっかりしてきた。靴をはかせて家の前の道に連れ出すと、やじろべえのように揺れながらとっとと進んで行く。

ところが、十一カ月を迎えて下痢をし、すぐに治ると思っていたのに止まらない。そのうち便にねっとりした白いものが混じるようになった。医者に診せると腸カタルだと言う。教えられた通りに、うすい重湯と梅肉エキスを与えてもいっこうに止まらない。まるまると太ってくびれていた腕が竹のように細くなった。節子は胸がよじれるようだ。このままどんどんやせて衰弱していったらどうしよう。

「この病気は悪くすると命にかかわることもあるから、くれぐれも気を付けてやりなさい」

医者の言葉が頭をよぎる。

会社から帰って来た和田が、雅彦を膝に抱いて顔をのぞきこむ。

「まだ、治らんのか。心配やな。けど男の子はよう腹をこわすもんやから、そのうちに治るやろう。そないに心配せんでええ」

「それでもいつまでも止まりませんから、心配で」

おしめをのぞいてばかりいる。汚れていなければ喜び、少しでも色がついているとがっかりして取り替える。検診で、体力手帳の十一カ月の欄に腸カタルと書かれてしまった。

一歳の誕生を迎える頃に、長引いた下痢もようやく収まり体重が戻ってきたので、節子は胸をなでおろした。和田が木製のおもちゃの犬を買って来た。足に車がついていて、ひもで引っ張って走らせるものだ。雅彦がひもを手に持つところを写真に収めた。

下痢がはじまってからも、仕事はいつも通りにしていたが、頭にあったのは雅彦のことだけだった。雅彦がどうかなってしまうのではないかと不安にかられて、身もだえするほど怖かった。あんなに心が痛かったことは生まれて初めてだった。美弥の膝のことで世話をしても、こんな苦しさはなかった。自分が産んだ子ではないからか。じっと心をのぞきこむ。そこには自分でもどうにもできない自分がいる。愛情（ぼんの）の深さにうろたえる。不意に赤塚の叔母の言葉が浮かんできた。

「波風がたつ」

波風は節子の心の中にたった。

2

町会から防火訓練の連絡が来て、節子はモンペをはいて小学校に行った。和田は普段着にゲートルを巻いている。校庭に町内の人がたくさん集まっている。一列に並んで、樽からバケツに水を汲んで順に送り、最後に受け取った人は的をめがけて浴びせかける。的は身長よりも高い上に、ぶらぶら揺れてやりにくい。節子は狙い定めて腰を低く構えて水を放り投げた。すると見事に当たった。

「奥さん、なかなか腰つきがいいですな」

町会長の声がかかる。

和田はバケツの水をこぼしながら走る。投げた水は的に届かず地面にざばっと落ちた。不器用な人だ。節子は少し得意になる。

美津子がとうとう蒲生に帰ることになった。鹿児島言葉が聞けなくなるのはさみしい。早く帰ってくるように実家からせっついていたのを、引き延ばして、五年いてくれた。派手になった着物を何枚か持たせた。よく働いてくれたし、もの惜しみをすると、父が恥をかく。和田にも言って多めに餞別を渡すようにした。これでもう女中は雇えない「国民皆働」の通達が出て、女もどこかの工場で働かなくてはならなくなった。

配給が玄米や芋になった。新聞には玄米は白米よりもうまい、炊き方次第だなんて載っているが、そんなことはない。一升瓶に入れて棒でつくとよい、と聞いてきて子どもたちにも手伝わせて精米した。海が近くて、漁師からじかに魚が買えるので助かった。

早苗が女学校を卒業し洋裁学校に入った。毎朝、雅彦を自転車の後ろに乗せて、町内を一周してから学校に行く。雅彦はいそいそと自転車に乗り、満足そうに降りてくる。手の込んだものが縫えるようになると、美弥の冬のオーバーを作ってくれた。次は何を頼もうかと思っているうちに、徴用に引っかかり、名古屋の先にある紡績工場に行くことになった。早苗が着替えを鞄に詰めている回りを、うろうろしながら美弥が聞いた。

「お姉ちゃん、紡績の女工さんになるの」

早苗は手を止めて、ちらっと美弥を見上げた。

「お国のためだからね。みんないろんなところに行ってるのよ」

翌朝、早苗は鞄を手にして、大股で歩いて行った。

女学校の五年生になった鞠子は、勉強はなくなり、勤労奉仕ばかりさせられ、疲れた様子で帰ってくる。

夕食の時、鞠子がフーっと息を吐き、みんなを見回した。

「今日は裁縫室に集められてね。教卓にさらしが山積みになってるの。先生がみんなに配って、裁断しなさいと言うでしょ。それで何を縫ったと思う」

少し、間をおいて鞠子が言う。

「兵隊さんの越中ふんどし。ひもを縫い付けたの」

「そんなもんを縫うたんか」

武史が驚いている。

中学生の武史は勤労動員で工場に行き、油のにおいをしみつけて帰ってくる。

「俺な、旋盤が上手なんや。ほかのやつは失敗してオシャカになるけど、俺は一回もない」

得意そうに言う。器用な子だ。

国民はすべて住所と氏名、血液型と年齢を書いた白布を、上着の胸に縫い付けるようにと通達があったので、雅彦の胸にも縫い付けた。

「名前は？」鞠子が聞く。

「びーがた、よんさい」雅彦は大きな声で答える。

鞠子が面白がって何度も尋ねると、雅彦は元気よく応える。周りに笑い声が起こる。

日本が真珠湾を攻撃したニュースがラジオから流れたとき、日ごろは大きな声など出したことがない和田が叫んだ。

「とうとう、アメリカをやったんやな。そうや、ようやった！　一気にやってしもたらええんや」

ずいぶん前から中国で戦争をし、すぐに片付くと言われていたが、まだ終わらない。アメリカみたいな大きな国と戦争して、大丈夫だろうか。

開戦から一年ほどして、和田は伊勢の修養団の禊祓（みそぎはらえ）に行った。財閥と関係が深い修養団に、系列会社から参加したのは、とても名誉なことだと言って誇らしそうだった。一泊して帰ってくると、修養団の話を繰り返した。明治天皇の御製を唱和し、夜明け前の五十鈴川にふんどし一丁でつかり戦勝を祈願して、身が引き締まる思いがした、と。だが節子は、心臓麻痺でも起こしたら大変だった、と肝が冷えた。

新聞には、勝ち取った南方から砂糖や石油がどんどん入ってくると、書いてあったが、まったく手に入らない。卵と肉が切符制になり、しかも店には品物がない。

翌年に山本五十六元帥が戦死した。続いてアッツ島の守備隊が玉砕した。新聞には「全将兵　壮絶・夜襲を敢行玉砕」「一兵も増援求めず」「烈々・戦陣訓を実践」の大きな見出しが載った。

「なんで、増援を頼まへんかったんや。頼まんで、どないするねん。そのまま玉砕するやなんて、なんちゅうこっちゃ。援軍を頼まんちゅうことがあるか」

和田は毎晩、泣かんばかりに嘆いた。

昭和十九年にはサイパンが陥落した。

その年の秋に、和田が福井の武生の軍需工場に行くよう命じられた。木材を固く加工して、飛行機のプロペラにする会社ができるという。

「なんでまた、急に」

いぶかる節子に深いため息が返ってきた。

「なにしろ非常時やからなあ。物資は足らんし、人も足らんし」

自分に言い聞かすようにつぶやいている。

雅彦はまだ小さく、子どもたちは学校があるから、ひとまず和田が一人で行くことになり、十月の末にたって行った。すぐに和田から手紙が来て、無事に着いて元気に働いている、出張することが多いとある。

節子は、和田へねぎらいの言葉と家族の様子を返事に書いた。

そして国債貯金を収めたこと、台湾沖会戦の祝捷(しゅくしょう)で、お酒二合と煙草をもらったこと、隣組の仕事がいそがしくなったことなど、こまごまと知らせた。そして、

――居るべき人が家に居てくれないとなんですか間の抜けた様な変なものでございます。家の中心がなくなったみたいでさびしうございます。

十一月一日　彦の寝ましたすきに　せつこ

と締めくくってから、また付け加えた。

――家のことは何もご心配なさいませんせん様、及ばずながら一生懸命やりたいと思います。

そして漁師から手に入れた新鮮な鰯で干物をこしらえて送った。

和田からまた手紙が来た。「今年の冬は例年よりも雪が多くて、昼でも暗い。玄関を開けられないから、二階の窓から出入りしている。お前にも見せたい」とあった。

昭和二十年三月、美弥の国民学校卒業を待って武生に引っ越した。しばらくは和田が住む会社借り上げの旅館に身を寄せた。早苗と、女学校を卒業した鞠子も一緒だ。しかし四月から中学五年生になる武史は転校するわけにいかず、中学校の近くに下宿させることになった。

早苗が徴用から帰ってきたとき、少しやつれたように見えた。

「大変だったでしょう」とねぎらった。

「食事がよくなかったのよ、ママ。それに紡績の仕事もうまくできないし。糸が切れてばっかり。でもね、いろんなところから来た人たちと毎日一緒に工場に行って、晩は部屋でおしゃべりをしてすっかり親しくなったの。楽しかったわ」

若いなあと節子は思う。

美弥は武生の女学校に入学した。登校する姿を見て、鞠子があきれている。

「そんなかっこうで学校に行くの」

上はもらい物のセーラー服、下は節子が銘仙の着物で縫ったモンペ、足元は日和下駄だ。

「これねえ、変でしょ。でも、ちゃんとした制服きてる人なんか一人もいないよ」

美弥はうつむいて自分の姿を見まわした。

早苗と鞠子が四日市女学校に入ったときは、白いブラウスに紺サージのジャンパースカートの制服だった。二人並んで玄関を出て行く後ろ姿を、女学生らしいと思って見送ったものだ。たった五年でこうも物がなくなるとは、想像もしなかった。おまけに美弥は毎日勤労動員されて農家の手伝いに行っている。

「畑の草取りで、手が痛いわ」「山で開墾作業よ。根っこを掘り起こして、石も除けないかんのよ」「馬のかいばを刈ってね、鎌を使うのは難しいんよ」

節子は相槌を打って聞きながら、足が不自由だから、農作業も大変だろうと思う。

しばらく旅館暮らしが続いたが、ようやく和田が家を見つけて引っ越した。徴用逃れに、和田は会社の伝手で、早苗を化学工場に、鞠子を税務署に勤めさせた。

家から少し行くと、広い通りに出る。道の真ん中の深い溝には、水が流れている。枝ぶりのいい松並木が続き、両側には、格子のある二階家がずらりと並び、見上げると、二階のひじ掛け窓が白い障子に凝った模様を描いている。まるで芝居の書割りのようだ。

夕食の時、和田に「あそこは何ですか」と聞くと「廓(くるわ)や」と言う。うちには若い娘がいるのに、なにも廓のそばに住まなくてもいいのに。

「他に家はなかったんですか」

「疎開してきた人がいっぱいで、なかなか見つからんのや」

「そうですか。それにしても大きな廓ですね」

「そうやなあ、雪が深いから冬は外に出られんし。この辺の男の遊びと言うたら女郎屋に行くことぐらいなんやろな」

和田はなんでもないことのように言う。夜には、廓の前を通らないようにしよう。

晩に常会があるので、夕食前に雅彦を連れて銭湯に出かけた。古い造りの入り口の脇に、藤が太いつるを屋根に伸ばし紫の花を垂らしている。ふわりと甘い香りが漂ってくる。

しばらく足を止めて眺めていたが、番台で料金を払い脱衣所に入った。むわっとした空気に包まれる。籠を見つけて着物を脱ぎかけて、ふと奥にいる女たちに目が留まった。結いあげた髪、赤や青の色鮮やかな襦袢は廓の女にちがいない。女たちは襦袢をぬいで腰巻をほどき、手ぬぐいを手に戸を開けて入っていく。一番後から、まだ子どものような少女がついていく。小柄でやせた背中が風呂場に消えた。

節子も雅彦を連れて風呂場に入った。女たちはひとかたまりになって腰かけに座り、かけ湯をしている。できるだけ離れたところに場所をとって、体を洗い湯槽につかった。女たちが入ってきたので、チラッと顔を盗み見た。陽に当たらないのか抜けるように色白だ。女たちはすぐ湯槽から出て、鏡の前で糠袋を取り出して磨き始めた。

寝る前に、和田に訴えた。

「今日ね、銭湯で廓の女(ひと)と一緒になったんですけど」

「あそこが一番近いからな」

「変な病気がうつったりしませんか。雅彦をつれてるし」

「そら大丈夫や。決まった日にちゃんと検査してるから」

「あなた、えらく詳しいですね」上目遣いに和田を見た。

「たいていの男なら、知ってることや。いらん心配せんと、早よ、寝よ」

和田はごろりと横になって、すぐにいびきをかき始めた。毎日帰りが遅いから疲れているのだろう。今年四十九歳、もう若くない。

昔の騒動が頭に浮かんだ。澄子が下の子ども三人を連れて、いきなり蒲生の家に帰ってきた。囲炉裏のはたに座り込んで、泣いたかと思うと怒りだし、綿々と母に訴えていた。

建築関係の仕事をしていた和田が、半年ほど単身赴任していた熊本から帰ってくると、後を追って芸者が家に訪ねて来たのだ。

「和田しゃんに会わしてくれん」

勝手に上がり込んで座ったまま、動こうとしなかった。

「若っもなか、いっちょん美人じゃなか。ないごてあげん女と……」

口をゆがめて悔しそうに話す澄子の顔を思い出し、暗い中でいびきのする方に目を向けた。

配給は米からジャガイモや代用食のコッペパンなどに変わったが、軍需工場では米や缶詰を持ち帰ることができるので食べ物には困らない。けれども、肉や魚は長いこと見ていない。そんなとき節子は身ごもった。

七月に福井市が空襲を受け、街がすっかり焼けたことが伝わって来た。B29が数えきれないほど飛んできて、一気に焼夷弾を落とした。夜中だったのでたくさんの人が焼け死んだという。これからどうなるのだろうか。和田の工場でプロペラを製造しているが、間に合うのだろうか。美弥の上級生は、和田の工場に動員されている。

夕食になって、子どもたちがちゃぶ台の前に座った。和田は今日も帰りが遅い。美弥はその日が登校日で久しぶりに学校に行った。

「ママ、昼休みに上級生がわたしのことを話してるのが聞こえたんやけどね。あの人のお父さんは工場で一番偉い人なんよって言ってるの。わたし、ちょっと鼻が高いにぃ」

「お父さんは軍需工場の生産担当者よ。軍需省という役所ができて、指定工場になって任命されたらしいわ。でもいちばんえらいのは工場長でしょうよ」

「ええねん、せっかくそう言うんやから」

節子は笑ってお櫃のふたを取った。からいものにおいが漂う。米を和田のために残しておき、後は全体を混ぜて茶碗によそった。雅彦は男だから米の多そうなところを入れた。

「雅彦、しっかり噛みなさいよ。芋は消化が悪いからね」

雅彦にもっと栄養のあるものを食べさせたい。それに食べないと、お腹の子も育たない。福井の次は、武生にも空襲があるかもしれないのに、庭が狭くて防空壕を掘る場所がない。どこへ逃げればいいのか。大きな腹を抱えて逃げまどうはめになるのだろうか。

ところが八月十五日の朝、ラジオが「正午に天皇陛下自らの放送があり、それに続いて重大放送があります」と告げた。重大放送とはなんだろう。和田、早苗、鞠子の三人はいつものように出勤し、家には節子と雅彦の二人だけだ。ラジオのない近所の人たちが訪ねてきたので茶の間にあげて、ラジオの前で正座して待った。正午になると、君が代に続いて甲高い声が聞こえてきた。うねるような調子で、難しい言葉が続く。頭を下げたまま聞いている。どうやら戦争に負けた、終わったのだ。

「どないなことですかな」隣の家のおばあさんが顔をあげ、あたりを見回して聞いた。

「戦争が終わったようですよ」

口に出すと、体がゆっくりとほどけていく。もう空襲の心配はない、大きなおなかで逃げなくてすむ。

夕方和田が帰宅して、着替えもしないで座敷に座り込んだ。

「お帰りなさい」

節子は台所から声をかけたが、返事がない。ぬれた手をふいて、浴衣を手にしてそばに行き、差し出した。和田はうつむいたままで受け取ろうとしない。顔をあげて宙を見据え、魂が抜けたような口調でつぶやいた。

「ほんまになんちゅうことや。日本が戦争に負けるやなんて。そんなことがあるやろうか、まったく。負けるなんて思わんかった。負けたんはわしらの力が足りなんだんや。申し訳ない。こんなざまで」

あまりにも気落ちしている様子に、終わってよかったんですよ、空襲で逃げなくてよくなったんですから、の言葉は飲み込んだ。それからも毎日工場に出勤して行くが、早く帰ってきて、茶の間に座り込んでむっつりと押し黙っている。

八月の末に突然あたりに爆音が響いた。出て見るとB29が四機飛んできて、何かをパラパラと落としていく。戦争は終わったのにどうしたのだろう。

会社から帰って来た早苗が、玄関で大きな声をあげた。

「工場に連合軍の捕虜がいると聞いてたけど、今日、捕虜が庭に出てきたの。そしたら大きな缶が落ちてきて、中には食糧がぎっしり詰まってたんだって。当たってケガをした人もいたわ」

節子は、まあ、と言ったきり後の言葉が出ない。

二日たってまたB29はやってきた。今度は落下傘で荷物を落として飛び去った。捕虜に軍が食糧を運んでくるなんて、信じられなかった。

「生きて虜囚（りょしゅう）の辱めを受けず」

国中にあふれていた言葉。それが国の教えだった。ところが連合国は捕虜の居場所を知っていて、戦争が終わるとすぐに食糧を投下する。それは「生きよ」ということだ。

数日後にまたB29が飛んで来た。落下傘がゆっくりと落ちていくのを、節子は見つめていた。風向きの加減で工場の外に、落ちはしないだろうか。

だんだんと節子の腹が目立ってきた。帰り道が暗いので、銭湯には夕食前に行くことにした。すると必ず廓の女たちと一緒になるが、あまり気にならなくなった。

暑いと言って風呂場から出たがる雅彦の体を、手早く拭いて先に出してやり、後から出ると、脱衣所に雅彦の姿が見あたらない。

「雅彦、雅彦」

大きな声で何度も呼んだ。すると、一番奥のカゴ入れの棚の影から、おもちゃの飛行機を手に雅彦が現れた。後ろには、女たちの中で一番若い子が腰巻一つの姿でついていた。

「こけいますよ。飛行機ブーンブーンっち言うて、走って来やった」

小さな声で言うとえくぼを見せた。ああ、鹿児島訛りだ。とたんに、体がほどけていく。

「あいがと。姿が見えんから心配（せわ）したのよ。じっとしちょらん子で、あっちこっち走り回つのよ。ねえ、あんた、鹿児島（かごっま）ね。どこよ」

美津子が蒲生に帰ってからは、使わなくなっていた鹿児島言葉が自然と口をついて出る。

「出水（いずみ）じゃっと。奥（おっ）さんも鹿児島ですか」

「姶良（あいら）郡の蒲生。ここで鹿児島の人に会（おう）たのは初めっよ。懐っかしい」

「あたいもです」

チラッと後ろを振り返り「そいじゃ」と言って、棚の向こうに姿を消した。早苗や鞠子よりも、ずっと年下だ。


十一月になって、和田が会社からいつもより早く帰った。夕食を済まして片付けにかかろうとして節子が腰を浮かすのを、ひき止めた。

「今月末で会社をやめることになったんや」

和田の顔を見つめた。何を言っているのか、この人は。

和田はぽつりぽつりと言葉を運ぶ。戦争が終わり、工場はプロペラ用の板の生産をやめた。軍需工場の生産担当者だったから、仕事がなくなったので、十一月いっぱいで辞めなければならなくなった。一年間だったが、退職金は出るそうだ。

節子はじっと口元を見つめた。次にはどんなことが飛び出すのか。

「でも、会社から行けと言われて行ったんですから、仕事がなくなったからって」

ようやく言葉が口をついて出た。

「仕方ないんや。会社っちゅうのはそういうもんや」和田が横を向く。

「子どもが生まれるのに。これからどうするんですか」

「十一月までは給料が出る。その後は退職金でしばらくはいけるやろう」

いくら尋ねても、それ以上のことは和田の口から聞けない。

和田は十二月から朝食がすむとそのまま座り込んで、チラシのような薄い新聞を隅から隅まで読む。昼から出かけて夕方帰ってくる。夕食がすむと応接間にこもり、蓄音機でレコードをかけて西洋音楽を聴いている。楽器の音があたりに響く。寝付いたばかりの雅彦が目を覚ましそうだ。やっと音がやんで和田が出てきて、茶の間に座った。節子は茶を淹れて出した。和田が新聞を片手に、湯飲みに口をつけてごくりと飲んだ。

「雅彦はもう寝たんか」

「ええ、さっき。あなた、毎日なにを聴いているんですか」

和田は新聞から顔をあげた。

「ベートーベンの『運命』や。久しぶりに聴いたけどやっぱりええなあ。そやけど、レコード針が手に入らんようになって、竹の針しかないんや。竹ではやっぱりええ音は出んわ」

「ベートーベンですか」

謡に写真撮影、人形や壺や皿集め、絵も買って西洋音楽を聴く、なんと趣味の多い人だろう。それもいいけれど、今はどうやって食べていくか考えてほしい。日に日に物の値段が上がり、昨日一円で買えたものが今日は買えない。時間との競争だ。

節子は、大切にしていた錦紗の着物二枚を持ち、突き出たお腹を抱えて遠くの村まで食べ物と換えてもらいに行った。着物は米一升とさつまいも八本にしかならなかった。帰る時、涙がにじんだ。早苗は二十歳、鞠子は十八歳だが、一緒に行こうとはしない。

銭湯で鹿児島の子と顔を合わすと「奥さん、だんだん太か腹になって、きつかでしょう」と気遣いの言葉をかけてくれる。

「じゃっと、もうすぐじゃっで。まあ、二度目じゃもの」

節子は目元を手ぬぐいで押さえた。

十二月の初め、夕食の支度をしているとき、太ももに生暖かいものが伝わった。予定より二週間も早い。茶の間にいた美弥を呼んだ。

「お産婆さんを呼んできて。破水しましたって、言うんよ」

美弥が急いで玄関を出て行った。陣痛の合間に食事の支度を終え、布団を敷いて横になった。産婆が来て、浴衣の裾をはだけて子宮の開き具合を見る。

「まだ、もうちょっと、かかるねぇ」とつぶやいて、奥に声をかけた。

「あとで、お湯を、沸かして、おいといてぇ」

産婆に腰をさすってもらうといくらか楽になる。しだいに痛みの間隔が短くなる。

「さあ、いきんで」

産婆の掛け声に合わせていきむのだが、すぐに力が抜けてしまう。

「頭が見えてきましたで。もう一回、さあ」

これが最後と思っていきんだ。

「おお、おお、生まれましたで。女の子ですわ」

雅彦の後なので女の子でよかった。枕もとに泣かされた赤ん坊を見た。整った顔立ちで、つぶった目元が長く切れている。きっと美人になる。知恵と美しさを備えた子であってほしいと願い、智恵美と名付けた。二度目は楽だと聞いていたが、雅彦の時より難産だった。ろくなものを食べていないから力がないのだと、産婆がため息交じりに言った。

和田はオルガンと梅原龍三郎の薔薇の絵を売った。オルガンを残しておきたかった。大きくなったら智恵美に弾かせたかった。

炭が乏しいので部屋の中は寒く、湯を使わせると風邪をひかせそうだ。体がしっかりしてきたので銭湯に連れて行くことにした。おくるみでしっかりと包んで、雪の降る中を銭湯に向かった。中に入ると温かさがじーんとしみ渡る。空いた籠を探していると、横からすっと籠が差し出された。見るとあの鹿児島の子が笑っている。

「生まれやったたね。あたいに抱かせてくいやらんね」

女の子は智恵美を抱き取り、のぞき込んだ。

「おなごじゃね、むぞか。ぐっすい眠むっちょっと」

「初めて、銭湯に連れてきたがよ。家は寒うて寒うて。あいがとね」

節子は着物を脱いで、智恵美を抱き取り台の上に寝かせて支度して、浴室に入った。なんてあたたかなんだろう。

年が明けた。餅が買えないので、雑煮の代わりにすいとんを作った。鹿児島のだご汁みたいで、全く正月の気分にはならない。和田は床の間の掛け軸を松竹梅の絵に替え、青磁の杯を飾って正月のしつらえをする。前に座ってじっと眺め、時折深いため息をつく。絵は大阪にいたころ、会社の先輩に小出楢重を紹介され、注文して描いてもらったものだ。床にかけるたびに、必ず思い出話を懐かしそうにした。

——芦屋のアトリエまで行って、中を見せてもろたんや。先輩の設計で、小さいけど二階建てのしゃれた作りで、描きかけの油絵が立てかけてあった。またよろしく、て言いはったから、何点も頼んだんや。

——楢重さんはわしと同じ京都二中の出身で先輩なんや。そんな縁もあってちょくちょく訪ねていった。いつかは油絵をわけてもらおうと思てたんやけど、早うに亡くなりはった。まだ若いのに気の毒なことやった。

きっと今も、当時を懐かしんでいるのだろう。それもいいけれど、家族八人で、どうやって暮らしていくのか、それを考えてもらいたい。

雪が降り続いて、あたりはうす暗い。洗濯物を外に干せないので、部屋にひもを張って干すけれど、なかなか乾かない。生乾きのおしめを火鉢の上で広げて、やっと使い物になる。囲炉裏があればいいのに。山で取ってきた柴をくべると、部屋全体がふわりと温もる。串に刺した魚や豆腐を周りに並べて日ぼかしておくと、程よく焼けておいしい。めったに雪の降らない鹿児島に育った節子には、雪と寒さが心底こたえる。

夕食後、茶の間に座って智恵美に乳を飲ませていたら、和田が節子の方に向き直った。

「先に、子どもを連れて池田の家に帰ってくれるか」

そのうち一家で武生を引き払うことにはなっていたが、急な話だ。

「あなたは帰らないんですか」

「美弥の学校もあるから、しばらくいることにするわ。家のことは早苗にさせる。小さい子らには池田の方がええやろう。なんというてもここの冬は寒いからなあ」

「雪がひどくて大変ですけど。それよりも、まずあなたに、早く職についてもらわないと。毎日どんどん物価が上がって、手持ちのお金では何も買えなくなってます」

「まあ、おいおいとな。当分は闇屋でもするわ」

ため息交じりにつぶやく顔を見つめた。大きな会社に勤めてきて、そんなことのできる人ではないのに。

　雨戸を繰る音がして、節子は目を覚ました。ここはどこなのだろう。首を回すとそばに智恵美がいて、隣の布団に雅彦が丸くなっている。和田がいない。そうだ、昨日、池田の家に来たのだった。夜中に何度も授乳に起きて、明け方ちかくに眠ったから、目が覚めなかった。雅彦もぐっすり寝込んでいる。無理もない。昨日は日の出まえに家を出て、長いこと汽車に揺られて大阪までやって来た。

　武生から屋根のない貨車に乗り込もうとして、はしごを上るとき手が滑って落ちそうになった。下からきた男が「早うに乗れや」と言って押し上げてくれたから助かった。あのまま下に落ちていたら、と思うとぶるっと身震いが出た。

　石炭臭い貨車に立ったまま揺られ、頭に粉雪が降りかかった。

「こらぁ、なにすんねん。そんなとこでションベンさしたら、風でこっちに流れて来るやろうが。分からんのか」

　男の怒鳴り声が響いた。我慢できない子どもに、貨車の端から外に向けて小便をさせたのだろう。雅彦はおしっこがかたい方なので、もうしばらくは大丈夫だが、それもいつまでもつことか。列車はのろのろと走っていたが、雪をかぶった田んぼの真ん中でいきなりガクンと急停車し動かなくなった。兵隊服の男が数人、さっと飛び下りて立小便をすますと、またよじ登って来た。

それを見て、さっきから我慢していた尿意がせまってきたが、駅に着くまで我慢しなくてはならない。長いあいだ止まっていた列車が揺れて突然動き出し、少し進んだと思ったらまた止まった。

駅が見えてるぞ、という声に助かったと思った。それから列車はゆっくりと動いて米原駅に着いた。人々がばらばらと下りていく。雅彦の手を引いて便所に向かって走った。見る間に長い列ができた。男はあちこちで線路に向かって用を足している。

「おじさんたちと一緒に、そっちでやっておいで」雅彦の背中を押す。

冷たい風が吹き抜け、寒さに足踏みをする。構内に積もった雪が踏まれて泥にまみれている。やっと順番が回ってきて、中に駆け込んだ。汲み取りをしていない便壺は汚物が盛り上がっている。

米原からは客車だったが、ぎゅうぎゅう詰めで、兵児帯で智恵美を前に抱えていなかったら、押しつぶされるところだった。

やっとのことで、池田にたどり着いたのだ。

雨戸の隙間から、細長い光が縁側に差し込んでいる。起きて雨戸をあけると、冷たい空気が頬をさす。青空が広がっている。ああ、これでおしめを外に干せる。ガラス戸を閉めて庭に目をやった。芝生はあちこちはがれて地面がむき出しで、植木は伸び放題だ。

台所に入ると、木村の奥さんが流しに向かい、主人が隅の食卓の椅子に腰かけている。

「おはようございます」

声をかけると、奥さんが振り返って元気な声で答え、主人は口の中でつぶやいた。

家を借りていた木村夫妻が当分同居することになっている。大阪も空襲がひどくて転居先が見つからないのだ。木村夫妻が二階、節子たちが一階を使い、風呂と台所は共同だ。

「うちは、主人が朝早うに出勤して、晩も早寝まっさかいに、先に使わしてもらいます」

昨晩寝る前に、木村がひとりで段取りを決め、節子は「はあ」と言うのがやっとだった。

持ってきた米をおかゆにして食べ、流しを片付けた。すると、すぐに木村が流しに小さいたらいを置き洗濯をはじめた。節子は目を丸くした。下着も靴下も洗っている。食べ物を扱うところなのに、なんて不潔なことをするんだろう。たまりかねて言った。

「木村さん、流しで洗濯するんですか」

「へえ、この方がよっぽど楽ですねん。腰をかがめるのはかないまへんわ」

こともなげに言う木村を見つめていると、節子の腹の中を察して、付け加えた。

「後で流し台を石鹸で洗いまっさかいに、汚いことなんかあらしません」

大阪人は厚かましいと聞くが、本当だ。毎日、朝食の後片付けが済むのを待って、木村は洗濯を始める。そのうちに節子は自分だけが、腰をかがめて井戸端で洗濯するのがばかばかしくなってきた。木村の洗濯が済んだ後の流し台を指の腹でなぞると、つるりとしている。後できれいにすれば同じことだ。節子も流し台で洗濯をすることにした。おしめは井戸端で一度すすいでおく。しゃがむよりずっと楽だ。しかし和田が見たら、目をむくだろう。


配給は少しの外米と小麦粉、トウモロコシ、大豆カスだ。小麦粉はすいとんを作れるが、トウモロコシや大豆カスはどう料理しても消化が悪い。雅彦がまた腸カタルになったら、と思うと恐ろしい。

家から三十分ほど歩いたところに農家の集落があると聞いて、着物を持って訪ねて行った。残しておきたかった錦紗の着物だが、仕方がない。くねくねと曲がる細い坂道の両側には植木畑が広がっている。登りきると広い道に出た。農家の縁先から声をかけたが、二軒の家で断られ、三軒目の家で、年配の女性が招き入れてくれた。

「こら華やかでええわ。末の娘が今度嫁に行くんや」

笑顔になって、米を少しと芋を分けてくれた。

体が回復するとすぐに菜園に手を付けた。なにより芋つるを分けてもらわなくてはならない。智恵美を木村に預かってもらい、雅彦を連れてもう一度集落に行った。以前に訪ねた家に行くと、もう全部植えてしまったという。そこから少し奥の大きな構えの家に入り、土間をのぞいて声をかけた。女の人が出てきて節子を見るなり大きな声で言った。

「着物ならいらんで。うちがあと二回嫁に行くほどある」

あっけにとられて顔を見た。背が高く細面で、歳は節子と同じくらいだろう。笑いをこらえて、芋つるを分けてほしいと頼むと、上から下まで節子を見た。

「どうかな、ちょっとぐらい残ってたかもしれん」

納屋に向かう女主人の後を祈るような気持ちでついていく。

「あそこに赤い魚がいてる。大きい魚や」

池に向かって走り出そうとする雅彦の手をつかんで、引っ張った。

納屋の奥でごそごそしていた女主人が出てきた。芋つるを手にしている。

「ちょっとしおれてるけど、植えたら着くはずや。肥料はやらんでええ」

うれしくて涙が出そうになる。節子は何度も何度も頭を下げて礼を言った。

「いくつ」女主人が雅彦に声をかけた。

「五歳」雅彦は大きな声だ。

「うちの子と同じ年やな。ボク、池にはまらんようにして見て行きや。赤いのやら黒いのやら、ぎょうさん鯉がおるで」

笑って家に入っていった。帰りに表札を見ると、堂々とした墨書で高田とあった。


生後七カ月になる智恵美は、風邪をひいている様子もないのに、微熱が続く。ぐずぐずと泣き止まないので、縁側に座って抱いていた。肌着を通して、体のほてりが伝わる。出かける支度をした木村が縁側にきて、智恵美をのぞきこんだ。

「お嬢ちゃん、えらいご機嫌が悪おますな」

「ええ、ずっと微熱があるんです」

「暑いですからな。そんなときは、行水つかわせたらよろしいねん、ぬるめの湯で」

「熱があるのに、いいんですか」

「大丈夫、大丈夫。小さい子はな、暑いと熱がこもるんですわ」

そう言うと、出かけて行った。

さっそくたらいに湯を張った。裸にするとやせが目立ち、腹だけがふくれている。湯につけると、気持ちよさそうに手足を伸ばす。顔から頭にかけて、ガーゼを濡らしてぬぐっていく。頭の中まで細かいあせもがびっしりで、ミカンの皮のようだ。

「さあ、さっぱりしたね」

抱き上げてタオルで拭いて、おしめだけにしておく。くせ毛の髪が逆立ってもじゃもじゃでかわいい。この湯を捨ててしまうのはもったいない。

「雅彦、雅彦」

さっきまで庭で蟬取り網を持って歩き回る姿が見えていたのに、どこへ行ったのか返事がない。何度も呼んでやっと現れた。晒で縫った網の中で油蟬がぎーぎーと鳴いている。

「あんたも行水をしなさい」

「まだ、蟬取りたい」ふくれっ面だ。

「行水がすんでからまた取ったらいいでしょ」

しぶしぶ服を脱いで入ったが、五歳の雅彦がつかると、腰のあたりまでしかない。手で湯をすくってかけて、何とか肩まで濡らした。

体をふく間も惜しいようで、雅彦はすぐに庭に飛び出していった。食べ物を手に入れる苦労はあるが、子どもと三人の暮らしは気が楽だ。

盆の前に和田が武生から出てきて生活費を渡してくれた。ひげが伸びて、歳よりも老けて見える。両手に大きな革のかばんをさげている。食糧が入っているのかと思ったら、取り出したのは新聞紙にくるんだ壺と皿だ。それを大事そうに押し入れの奥にしまい込んだ。

「仕事は見つかったんですか」きつい口調になるのをなんとか抑える。

「まだや」

雅彦をあぐらの中に入れて、頭をなでながら和田は澄ましている。

「芋や米と交換してもらうのに、私の手持ちの着物はほとんどなくなってしまったんです」

「百姓はずるいからなあ。なかなか米を渡さへんのや」

「そんな話じゃありませんよ。あなたが働いてくれないとどうしようもありません。本当にどうするんですか」

和田がぽつりぽつりとつぶやく。

「預金封鎖で、引き出せるのは月額三百円。世帯員一人は百円。新円が発行されて、旧円は無効になった。保険が満期になったら高麗青磁を買うつもりやった。ところが五十歳になって手にした金は、紙切れ同然や。何のために高い金を払い込んでたんやろうか」

気力の失せた声を聞いていると、やり場のない気持ちになる。らちのあかないやり取りをして、和田はまた武生に戻っていった。人間がすっかり変わってしまったようだ。

澄子の葬式から帰ってきた父が、涙ながらに口にした言葉が浮かび上がった。

――澄子はなんちゅう気丈な女(おなご)じゃろうか。もう助からんっちなったとき、病院に子ども三人の担任の先生を呼んで、子どもをどうぞよろしくお願いします、っち頼んだげな。

子どもを残して死ぬのは、さぞ心残りだったろうと思ったが、今考えると和田があてにできなかったのだ。

畑にも、生垣にも這わせて南瓜を作った。もう少したってから取ろうと思って残しておいた生垣の実が、翌朝には消えていた。盗まれたのだ。父から種を送ってもらい、下肥をやり、やっと実ったのに悔しくてならない。

南瓜を食べてしまうと、少し早いがさつま芋を掘り起こした。赤い芋を手に取って土を払う。もらったときはしおれていた芋つるが、こんなに芋をつけた。蒸して食べたり、わずかな米に刻んで混ぜて雑炊に炊いた。木村にも少しわけた。

高田を訪ねて行き、お礼に何かしたいと申し出た。

「ええ、ええ、そんなことせんでも。余ったもんをやっただけやから」

そう言いつつ雅彦の着ているシャツをじっと見ている。ミシンは武生に置いてきたので、木村に借りて、普段着の着物や古くなったシャツで作っていた。

「あんた、ミシンができるん」

「ええすこし」

「そんなら、うちの人のもんで、息子に作ってほしいわ」

高田が持ってきた夏ズボンとシャツで、息子のものを作った。それを届けると米をくれた。節子は何度も礼を言いながら、両手でずしりと重い米を抱いた。

蒲生の父から小包が届き、中からふくれた袋が出てきた。和紙の袋に墨で「イコモチコ」と書いてある。紙の端を黒糸で、何度も縫い返して袋にしてあるのは、目の乏しい母の仕事だ。袋は柔らかくてあたたかい手触りがした。いこ餅粉は、湯で溶いて子どもに食べさせられる。

九月になると、武史と鞠子が同居することになった。中学校四年修了で高等学校の受験ができることになり、五年生の武史は一学期でやめて受験勉強をすることにした。授業料と下宿代を節約するためだ。鞠子は大阪で仕事を探すという。

二人増えた分の食糧をどうして工面するか、頭が痛い。配給は相変わらず代用食ばかり。たまに配給される外米を少しと、たくさんの芋を入れて雑炊を作る。夕食の時、雑炊をすくう節子の手元に、視線が注がれる。一番先は武史に、続いて雅彦、後は鞠子と節子だ。

「また腸カタルになったら困るからね」

雅彦には米の多いところをよそう。智恵美には節子の茶碗から、上澄みを食べさせる。父が送ってくれたいこ餅粉がまだ袋に残っているので、湯で溶いて、子どもたちのおやつに食べさせた。砂糖が入らないのでおいしくはないが、少しは栄養になる。一口飲み込んだ智恵美の顔に笑みが浮かぶ。それを見て節子も笑顔になる。茶碗が空になっても、まだ口を開けて待っている。

「もう、おしまい。また今度ね」

途端に眉が八の字になり、実に情けなさそうな顔をする。いつになったら「もう、たくさん」というまで食べさせられるのだろう。

十月に入って、しばらくぶりに和田が武生から出てきて百円渡してくれた。

「仕事はあったのですか」

多分この人は働く気がないのだ、と思いつつ聞いてみる。

「仕事かぁ。サッカリンあります、と書いて表に貼ってたら警察が来たわ。暇なこっちゃ」

投げやりな物言いに打ちのめされる。

「子どもも大勢いますし、これからどうするんですか。もうすぐ一年になるんですよ」

「まあ、何とかするから、そうせっつくな」

「そんな悠長なことを言ってられません。来年の春には武史は高等学校に入るんですよ。あなたの掛け軸や壺を売ったら、少しはお金になるんじゃないですか」

和田は苦虫をかみつぶしたような顔になり横を向く。節子は立ち上がって、茶の間のふすまを音立てて閉めた。胸の中がふくれあがって爆発しそうだ。

和田を入れて、毎日六人でちゃぶ台を囲む。夕食は芋の入った雑炊だ。

「あーあ、雑炊か」

飯茶碗を手に和田がつぶやく。雑炊以外に何が食べられるというのだろうか。それなら職についてほしい。子どもたちがやせ細っているのが目に入らないのか。

「家族が多いからなぁ……。食い扶持がなぁ」

和田はため息をつく。武史は黙ってはしを運ぶ。鞠子が嫌そうに顔をゆがめてそっぽを向く。大阪の繊維会社に勤めた鞠子は給料の中から、少し食費を入れている。

夕食がすんで、節子が台所で片付けをしていると、鞠子が入ってきた。

「ママ、クラブに行ってくるわ」

振り返ると、普段着から黄色のフレアースカートと灰色のブラウスに着替えている。

このあたりの洋館は、進駐軍に接収されて将校家族の住まいになっている。鞠子は同じ年頃の将校の娘二人とすぐに知り合いになって、行き来するようになった。初めて二人が家に来る日、節子は座敷を片付けて待ち構えていた。アメリカ人って、どんなだろう。

茶色い髪の背の高い娘二人が、座敷に上がってきておずおずとあたりを見回した。節子が「いらっしゃい」と挨拶すると、はにかんだ笑顔を見せた。鞠子はタンスから自分の赤い錦紗の着物を出して、英語で何か言った。それから着物を姉の服の上から着せかけて

「ママ、帯を手伝って」と言うので、節子は後ろに回ってお太鼓に結んだ。娘は両手を広げたり、後ろ向きになったりして、鏡台に映る自分の姿を見ていたが、急に顔をしかめて何か言った。

「胸が苦しいんだって」

鞠子がおかしくてたまらない様子で笑顔を節子に向けた。節子も笑った。

そのうち鞠子は、近くのクラブに誘われて、一緒に行くようになった。

「あそこでダンスをするらしいけど、鞠ちゃん、ダンスができるの」

驚く節子に、鞠子はけろっとして応えた。

「将校たちが、教えてくれたから、すぐに覚えられたわ」

今夜も、ダンスをするのだろう。

「あんまり遅くならないようにね」

鞠子は軽くうなずくと、スカートをひるがえして出て行った。黄色い蝶みたいだ。

節子は茶の間に戻り、茶を入れて和田と武史の前に置いた。武史は飲むとすぐに部屋に引き取った。雅彦は畳に寝そべってメンコをいじっている。そのそばに智恵美が座って指をしゃぶっている。和田は湯のみを手にして一口すすった。

「なあ、鞠子が言うてたけど。お前が自分の子どもにばっかり食べさせるって。そんなこと言われんようにうまいことやってくれよ」

喉が締め付けられて、息が苦しい。

「あんまりや！　そんな！　あんまりや」

涙があふれてくる。

「いつわたしが自分の子どもにばっかり食べさせました。どこにそんな食べ物があると言うんです。食べさせられないから畑を耕して芋やカボチャを作っているのに。鞠子はそんな目でわたしを見ていたんですか。あなたもあなただ。鞠子の言うことを真に受けて」

智恵美を抱いて立ち上がり茶の間を飛び出した。雅彦が後を追ってくる。

もう、この人とは暮らせない。座敷に布団を敷いて雅彦と智恵美を寝かせ、節子は横になって布団を頭からかぶって、嗚咽をこらえた。和田は夜遅くに寝に来た。玄関のガラス戸の音がしたのは、もっと後だ。

翌朝、無言のまま雑炊をこしらえてちゃぶ台に並べた。夜遅くまで勉強している武史はまだ起きてこない。鞠子が仕事に行った後、茶を飲んでいる和田の正面に座った。

「雅彦と智恵美を連れて蒲生に帰ります。四人とも大きくなったことだし、わたしがいなくてもやっていけるでしょう。もう別れましょう」

和田がぎょっとして、湯のみを手にしたまま節子の顔を見た。

「ここにいたら、雅彦と智恵美を育てることができないのよ。二人になんも食べさせてやれんもの。このままじゃ栄養失調で死なせてしまう」

和田の顔を見据える。

「なんでいきなりそんなこと言うねん。気を付けてくれ、言うただけやないか」

この人は何もわかっていない。まだこんなことを言っている。

「なにを、気を付けるんですか。食べるものもないのに。そんなことを言う暇があったら仕事を見つけたらどうなんです。ずっと頼んでるのに、探そうとしないじゃないの」

言い終わると節子は口をつぐんだ。涙は出なかった。和田は黙ってそっぽを向く。言葉を交わさないまま、和田は次の朝早く武生に戻っていった。


節子は、列車の座席にもたれてうつらうつらし、ときおりガクッと揺れて目を覚ました。智恵美は膝の上でぐっすり寝ている。雅彦も次兄の静夫の膝に頭を乗せて眠っている。

あれからすぐに静夫に手紙を書き、蒲生に帰るとき一緒に連れて行ってほしいと頼んだ。

静夫は家族を蒲生の実家に置いて、東京で働いている。

ゆうべ、武史と鞠子に「蒲生に帰るわね」と言ったときの二人の顔が浮かんだ。武史は「いつまでなん」と聞いた。鞠子はちらっと節子を見て「あら、そうなの」と言った。

「自分の子どもにばっかり食べさせる」

和田から聞いた鞠子の言葉が、今も刺さったままだ。

昼を過ぎた頃に頭がすっきりとした。伸びをして座りなおし、家から持ってきた芋の混じった握り飯で昼飯を済ませた。窓の外に目をやると、稲刈りの済んだ田が続く。ぼんやり外をながめていると、急にあたりの風景が焼け焦げた黒と灰色に変わった。建物はなんにもない。ずっと平らで遠くの山まで見渡せる。列車は速度を落として駅に停車した。広島だ。

向かいに座る中年の男二人が小声で話しだした。

「新聞で読んではいたけど、本当に何もないじゃないか。破壊されつくしてる」

「この世の終わりとはこれだよ」

「広島にも長崎にも今後七十年間は、草木もどんな生き物も住めないそうだよ」

「なんで、また、そんな」

「原爆の放射能のせいだと言うんだけど……どうなるんだろう」

ひとしきり話すと、二人は口をつぐんで窓ガラスに額をつけて外を見ている。

節子は、膝の上の智恵美を抱えなおした。

「兄さん、恐ろしかよ。人がずば、亡うなったっち、聞くが」

「じゃっと。おいは何度もここを通っちょるが、いつ見てもたまぐっと」

車内の話し声が消えて、静かになった。誰もが言葉をなくしている。節子は身を固くして智恵美をしっかりと抱え込んだ。このまま永久に停まっているのではないだろうかと思ったころ、ようやく発車のベルが鳴り響き、列車はごとりごとりと動き出した。

日本は戦争に負けたのだとつくづく思った。


門司に着いたとき、あたりは闇に沈んでいた。ここから日豊線に乗り換える。列車を下りると静夫はすぐに走りだした。節子は智恵美を抱き、雅彦の手を引いて小走りについて行った。どこに行くのかと思ったら、駅弁の売り場だった。すでに列ができている。

「ここで駅弁を買っていかんなら。外食券を持ってきたか」

節子はうなずいて、手提げ袋から外食券を二枚取り出して渡した。やっと順番が来て駅弁を買った。なんと二円もする。

静夫の後について待合室に入った。駅弁のふたをとってみると、薄く広げた米飯の横におかずがある。南瓜と大根、にんじん葉の煮つけだ。これで二円とはひどい。箸をつけたが、だしのない塩煮だ。にんじん葉はかたくて、噛んでもなかなかのみ込めない。

列車が発車する五時になり、寝込んでいる雅彦を静夫に預け、智恵美を抱いて乗り込んだ。

「こっからが、また長げこっじゃ。加治木に着くのは晩になっせ、そっからまた歩かねばならん。どこでん、いつでん、寝られるときは寝っちょれ」

席に着くとすぐに、静夫は目をつぶって寝息を立て始めた。

大阪を出て丸一日がたった。もう後は座っていればいい。目をつぶって背もたれによりかかるとすぐに眠くなった。起きたときには陽が傾いていた。

「よく寝たね。もうすぐ祖父ちゃんのとこに着くよ」

智恵美を抱きなおして、雅彦の顔をのぞきこむ。

「母ちゃん、お腹が空いた」

元気のない声だ。朝も昼も食べていない。食い延ばさなければならないので、大分で買った駅弁を半分だけ食べることにした。ふたを開けると、米の飯と黒いものが少し。塩こぶかと思って口に入れると、ひじきの塩煮。塩煮ばかりだ。

加治木の駅に着いたときはすっかり夜になっていた。乗合自動車はもうないので歩くしかない。節子が智恵美をおんぶし、雅彦を静夫のリュックに乗せて夜道を延々と歩いた。

「ここいらで、休まんなら」

静夫は立ち止まり、道端の石垣にリュックを背負ったまま乗せた。節子は雅彦を抱き下ろして水筒のお茶を飲ませ、一息入れた。そしてまた歩く。次に休んだとき、静夫は闇を透かして遠くを眺めた。

「あそこを曲がれば、加治木中学に出っのよ」

道夫が自転車で毎日通った道だ。

「亡うなった時は二十九歳じゃから、生きちょれば、三十七か。まだ、若けのになぁ」

静夫がため息を漏らした。夜風が冷たくなった。どこかで犬が遠吠えしている。

「さあ、行かんなら。夜道に日は暮れんっち言うが、日付が変わらんうちには着きたかよ」

静夫が掛け声をかけて立ち上がった。途中から雅彦が眠ったので、リュックから落ちないように後から歩いた。もう一歩も足が出ないと思った頃にようやく家に着いた。電報を打ってあったので母が起きていた。薄暗い電灯に囲炉裏が浮かび上がる。八年ぶりの家だ。

「長旅で疲れたじゃろう。あれまあ、ぐっすい寝っちょっと」

母が背中から智恵美を抱き下ろしてくれた。リュックから雅彦を下ろすと、節子は急に力が抜けて上がり框に座り込んだ。大阪を出てから丸二日汽車に揺られ、最後は三里の道を、子どもを背負って歩いてきたのだ。静夫はすぐに離れの家族のところへ行った。二人を寝かすと、節子は着替えもせずに崩れるように布団に入った。


翌朝、隣の布団で雅彦が起きだしてごそごそするのが聞こえたが、体が動かない。そのまま寝入って、目を覚ましたときは日が高くなっていた。起き上がると足が痛い。顔を洗いに井戸端に出て、思い切り伸びをした。つるべを下ろして井戸水をくみ上げて顔を洗った。ああ、帰ってきたのだ。

すでに母が二人に食べさせてくれていた。雅彦は下駄をはいてさっそく庭に出て行った。智恵美を抱き上げて、囲炉裏のそばに行き、残りの味噌汁でからいも飯を食べていると、父が畑から帰ってきた。縁に腰を下ろして地下足袋を脱ぐ背中がずいぶん丸くなっている。

父が上がってきて囲炉裏のそばにあぐらをかいて座った。節子は箸をおいて座りなおした。

「お父さん、あたや、帰っきた。もうあん人とは暮らせんのよ」

「うちでゆっくいい、すればよか。働かんっち、どういうこっね、和田は。珍しもんじゃ」

腹立たしそうに言うと、父は、身を乗り出して智恵美を抱きとった。

「じいちゃんとこがよかね。そうかそうか、むぜよなあ」

まだ人見知りが始まらない智恵美は、黙って父に抱かれている。父がわたしの子どもを抱いている。じんわりとぬくもりが湧いてくる。ふと父の着物の袖口がほつれているのに気が付いた。母の目は前から見えにくくなっていたが、もう針仕事ができないのだ。

次の日、節子は納戸に突っ込んであった父と母の着物をほどいて、洗い張りを始めた。

「帰っきたそうそう、そげん働かんでよか。ちったぁ、ゆっくいしやればよか」

庭に板を並べて布を張っていると、母がそばに来て声をかける。

「あたや、疲れちゃおらんよ」

張り終わると、二人を連れて隣に住む正夫の家に行き、縁先から声をかけた。

「兄さんはおいやっと」

千代が奥から顔を見せ、続いて正夫が出てきた。節子は庭先で鶏を追う雅彦と抱いている智恵美を指さして、自分の胸に手を当てた。正夫は笑顔になり、両手を差し出したので、智恵美を渡した。智恵美は抱かれて、きょろきょろと天井を見上げている。

「なんぞ、珍しもんが見ゆるかね。こんぐれのときが、一番むぜよ。おじいさんも喜んじゃいやっと」千代が笑った。

庭の梅の木がずいぶん大きくなって、枝を空に向けて広げている。

「実はね、あたや、和田と別れようっち思うて帰(もど)っ来たのよ」

「そげな話じゃね」

もう伝わっているのだとわかって、気が楽になる。

「なあ、節子さあ。知っての通り、あたや一度嫁に行て、不縁になって帰(もど)っきた。そこへこん家の縁談を勧める人がおって、父親が決めたがよ。耳の聞こえん人じゃっち、承知してきたがよ、飯じゃ、寝ようか、畑に行く、そげな用事は通じるもんの、夫婦らしか会話なんち、できるもんじゃなかで、徒然(とぜん)ね」

よく嫁に来てくれたものだとは思っていたが、さぞ気が詰まる日々だったろう。

「義姉さんは、別れようっち、思いやらんやったね」

「別れてどけへ行くね。親は亡うなっちょるし、家は兄が継いであたいのおる場所はここしかなかよ。子どんが二人おるし。第一あたいがおらんよになれば、こん人が困るが」

千代が正夫を見やる。正夫は膝に智恵美を座らせておだやかな笑みを浮かべている。


智恵美が誕生を過ぎて、家の中をおぼつかない足取りで歩き始めた。囲炉裏に落ちないか心配で、目が離せない。父は朝晩の畑の見回りに、智恵美を懐に抱いて行く。すると母がぶつぶつとつぶやく。

「なんもこげん寒かときに外へ出さんでもよかろうに。風邪でもひかすと大変じゃ。まっこて考えのなか人じゃ、父ちゃんは」

自分が智恵美を抱きたいのに、父が連れだすから機嫌が悪いのだ。節子の子どもをかわいがろうとして、両親が競い合っているのを見てうれしさがこみ上げる。

あれっきり和田からは何も言ってこない。そのうち帰ってくると高をくくっているのか。こっちから連絡を取るつもりはない。だが、一人で子どもを育てていけるのだろうか。

年末に蒲生に帰ってきた静夫は、和田から何の便りもないと聞いて、息巻いた。

「一度呼び出して談判せねばならん。いつまで知らん顔しっちょるつもりじゃろう」

三月にまた静夫が帰ってきて、話があると言って離れに呼ばれた。静夫は大阪支店へ出張したおり、和田を呼び出して会ったと言う。

和田の酒好きを知っている静夫は、駅のガード下の飲み屋に誘った。和田は杯を重ねるにつれてよくしゃべった。

――まさか戦争に負けるなんて思わなかった。今は劣勢だがきっと挽回して勝つと信じていた。必勝祈願に、五十鈴川の禊にも行った。お国のために、不慣れな軍需会社で頑張ってきたのに、負けてなにもかもが終わってしまった。ぽかっと穴が開いたみたいで、何もする気がしなくなって、会社を辞めた。

和田の話は大体そんなところだ、と言って静夫は口をつぐんだ。

節子は息をのんだ。自分から辞めたって。頭がくらくらする。勝手すぎる。家族のことを考えなかったのか。まだ禊の話なんかして。自分から辞めたことを隠していたのに、酒で気が緩んだのだ。胸が波立って、渦巻いて、あふれ出しそうだ。

「お国のためにっち思うて、張り詰めちょった気持ちが萎えたんじゃろう。敗戦で腑抜けになった男がずばおっと」

和田も腑抜けになったのか。節子が考え込んでいると、静夫が軽い口調になった。

「新聞やラジオが威勢のよかこっ言うのを、和田は鵜呑みにしっちょったのよ。一度も戦争に行かんやったんじゃって、分かっちゃおらんのよ。負けたこつがいっかな信じられんやったんじゃろうよ」

「そいでも自分から辞めんでもよかりそうなもんよ」

静夫は口をつぐんでじっと遠くを見ていたが、ゆっくり向き直った。

「戦争は新聞に書いちょるよなもんじゃなか。おいは北支から中支に行たが、来る日も来る日も行軍よ。重い荷物を担いでただただ進むのよ。いつ敵が弾をうってくるやもしれん。恐ろしかったが。何のためにこげんこつをしっちょるのか、わからんよになった。あげな広か大陸を占領するなんちこっ、できやせん。その上アメリカとまで始めてよ」

静夫は両手で顔をつるりとなでて、ほっと息をついた。

「まあ、こいからは働くっち言うちょったで。実はな、親父（おやっ）どんが心配しっちょって、赤塚の叔父に頼んだらどうかっち、言うもんで、おいが声をかけてきたが。赤塚は顔が広いで、なんぞ働き口を紹介してくれるじゃろうよ。お前に帰っきてほしいそうじゃ。しばらく様子を見て、和田が働き出したら、帰ればよか」

それから思い出したように付け加えた。

「早苗が家で遊んじょるっち話じゃったで、おいの会社の大阪支店に口を利いちゃったで、四月から勤めに出ることになったが」

礼を言って、離れを後にした。庭のあちこちに散らばっている鶏を呼び集めて、小屋に追い込んでおいて母屋に入った。

道夫兄さんなんか、結婚もせず子どもも持たず、二十九歳で戦死した。それに引き換え、和田は結婚して子どもが六人いる。戦災にも会わず、家も残って家族を一人も失わなかった。そして健康だ。それなのに仕事を辞めて働かないとはどういうつもりか。まだ「お国のため」を引きずっているのか。お国は負けたのだ。

三月の末に、和田から初めて手紙が届いた。

——みんな元気か。こちらは去年の暮れに一家で武生をひきあげた。美弥は大阪の女学校に転入した。武史は無事に大阪高等学校に受かった。早苗は静夫さんの口利きで証券会社に勤め、鞠子は前の会社に行っている。自分は赤塚の叔父の紹介で、来月から建設資材を扱う会社で働くことになった。心配をかけたけれど、帰ってきてほしい。

どうすればいいか決めかねていると、静夫が東京から帰ったと聞いて、離れを訪ねた。子どもたちが騒いでいるそばで、和田から手紙が来たことを話した。

「帰ればよか。お父さんもおっ母(か)はんも安心すっと。親の口から、帰れっち言えんのよ。

苦労するのが分かっちょって、澄子の後にいかせたんじゃから。じゃがよ、内心じゃ帰ってほしかっち思っちょるよ」

そうなんだろうか。何も言わないけれど。

「雅彦も男の子じゃっで学校に出さねばならん。ここにおっては難しか。和田は立派な学歴があって、一級建築士の資格を持っちょるんじゃから、働きさえすれば子どんを学校に出すくらいはできるじゃろうよ」

少し間をおいて兄が言葉を継いだ。

「それによ、お前たちがおれば、親二人の食い扶持を減らすわけじゃろうが」

顔が赤くなるのがわかった。涙がじわじわとにじむ。うつむいてこらえた。雅彦に米も卵も食べさせられると喜んでいたが、それが親の食い扶持を減らしているとは気づかなかった。もう考える余地はない。

母屋の土間に入ると、母が玉ねぎの枯れ葉を結わえていた。母が顔をあげて節子を見たが何も言わなかった。節子も黙って上がると、洗濯物をたたみ始めた。

次の朝、朝飯がすんで台所の片付けをすますと、土間にいる母に声をかけた。

「おっ母はん、あたや大阪に帰ることにすっで」

母が顔を上げてじっと節子を見た。

「お前さぁは、それでよかね。得心しっちょっとか。嫌なら、こけおればよか」

喜ぶと思ったのに意外だった。母とは反対に、父は目に見えて喜んだ。

「そうか、そうか。帰ることにしやったか。都会は食べるもんがなかっち聞くから、この夏、武史をこっちに来させればよか。うちで食べさせっで」

「あいがとね、お父さん。助かるが」

3

節子は東京まで行く静夫と別れて、五月の半ばに池田駅に着いた。半年ぶりに見る駅の周辺には店が増えたようだ。よちよちと歩く智恵美の手を引きゆっくりと家に向かった。雅彦はさっさと前を行く。道順を覚えているのだ。

「ただいま」

声をかけて中に入ると、台所の床に座っていた早苗と鞠子がそろって顔を上げた。

「ああ、ママ、おかえり」

今朝出かけたのを迎えるような口ぶりだ。

「あらぁ、雅ちゃん大きくなったね。すっかり背が伸びて」

早苗が立ち上がって雅彦の頭をなでた。雅彦はだまってうなずく。智恵美はペタリと節子の足に張り付いて、あたりをうかがっている。

「ぼくのおもちゃ、どこにある」

座敷に駆け出す雅彦の後を、智恵美が追いかける。

「智恵美ちゃんが歩いてるじゃないの。赤ちゃんだったのに、大きくなったのねぇ」

鞠子が笑い声をあげ、智恵美の後について行った。悪びれたところなど全くない後ろ姿を見つめた。

早苗が台所に戻ってきて、続きに取り掛かった。エンドウ豆をむき、さやの柔らかい部分をさじではがしている。こんなものまで食べているのかと思うと先が思いやられた。

同居していた木村夫婦は引っ越していたので、初めて二階に上がった。床の間付きの八畳の座敷には、布団が隅に積んである。武史の部屋だ。隣の板の間に籐の応接セットとテーブルが置いてあるのは四日市と同じだ。しかし節子の好きだった梅原龍三郎の薔薇の絵はない。壁には、四日市と同じ、子ども四人と澄子の写真がかかっている。

夕方玄関の戸が開く音がして、和田が帰ってきて、節子は出迎えた。

「おかえりなさい。今日帰ってきました」

和田の顔をじっと見る。目が合う。和田は「ああ」とも「おお」ともつかない声を漏らして、節子の後ろにいる雅彦に視線を移した。

「雅彦、大きなったなぁ。びっくりしたわ、ほんまに。元気そうや。よう太って」

靴を脱いで上がってきて、雅彦の頭をなでている。和田は少しやせて彫りの深さが際立つ。もともと顔立ちのいい人だったが、渋さが加わっている。この人が遊んで暮らしている間、わたしは畑仕事を手伝い、日焼けして、顔は真っ黒だ。もともと器量がよくないのに、みっともないことになっている。

「蒲生じゃあ、父と母が苦労して食べさせてくれましてね、鶏を飼ってますから、卵もあって。誰に気兼ねすることなく食べさせられたんですよ」

嫌味な言葉が出てしまった。和田は黙って座敷に行き、節子は、以前のように浴衣と丹前を後ろから着せかけた。和田の肩に手が触れて、びくっとなった。

とにかく食べ物を作らなくてはならないので、耕して畝を増やした。武史が手伝ってくれて随分はかどった。持ってきたさつま芋を種芋にしてつるを取って植えた。南瓜と人参の種もまいた。

「そう言えば、ママがいない間に、女の人が訪ねてきたそうよ。鞠ちゃんが出て、なんの用事か聞いたけど言わないで帰って行ったって」

美弥が思い出したという風で告げた。たぶん高田だろう。人参の発芽がうまくいかないから、教えてもらいがてら行ってみることにした。

「山井へ行ってくるから、智恵美を頼むね」

日曜日の昼過ぎ、美弥に声をかけ雅彦を連れて出かけた。美弥が何か言いたそうにしているが、気にとめなかった。畑の間の道を行くと、蒲生を思い出す。雅彦ははしゃいで節子の前を飛び跳ねる。家の縁先から声をかけると、高田が姿を見せた。

「いやぁ、あんたやったん。ちょっと前に行ったら、留守やった」

やはりそうだった。

「ちょっと、実家に帰ってて。ごめんなさいね」

「うちが勝手に行っただけや。ついでがあったからな。ところで、あの大きなねえちゃんは誰なん。妹？」

こちらの目をじっとのぞきこんでくる。

「亡くなった姉の子。四人いるの」

「そうかいな。苦労するなぁ、あんたも」

情のこもった言葉が胸にしみる。

高田は「ちょうどよかった、今から頼んどこう」と言って、少し口調を改めた。

「来年小学校に入る息子に、主人の服で学生服を作ってほしいねん。大きさはあんたとこより、ちょっと大きめにして。すぐ背が伸びるやろうし。礼はちゃんとするから」

「お礼なんかいらないよ。いっつも世話になってばっかりやもの」

雅彦にも作ろうと思っているので、すぐに引き受けた。

もっと遊びたいという雅彦の手を引き、大股で野道を歩いた。

「訪ねてきた人は、山井の高田さんやったわ」

台所で洗い物をする美弥の背中に声をかけた。返事がなく、しばらくして振り返った。

「ママ、山井って知ってるの」

「知ってるよ。知ってるから行ったんじゃないの」

「そうじゃなくて、山井って部落なんよ」

いつも笑顔の美弥が顔をこわばらせている。やっと察しがついた。鹿児島にも差別されている部落があった。

「それがなに、どうしたの」

「どうしたって。付き合わんほうがいいよ。みんなもそう言ってる」

みんなって、誰。

「小屋にからいもがあったでしょ。あの苗をどこで手に入れたか知ってるの。高田さんよ。いきなり訪ねて行った見ず知らずのわたしに、芋つるを分けてくれたんよ。何も知らんと、そんなこと、言いなさんな。情けない」

美弥がうつむいて伏し目になったので口をつぐんだ。わたしたちがいない間、その分の配給も食べたんでしょう。口元まで出かかる言葉を、ぐっと飲み込んだ。


夕方、台所で食事の支度をしていると、智恵美が「いややぁ、いたい」と言って笑う声が聞こえてくる。風呂から上がった和田が縁側の椅子に掛けて、智恵美を抱いて、頬ひげをこすりつけているのだ。年の離れた兄姉の後をついてまわるが、和田にはなかなか近寄らなかった。智恵美が慣れてきたので、ほっとする。

智恵美はすぐに熱を出して喉がはれるし、よく下痢もする。座敷に布団を敷いて寝かせて、節子がちょっと離れて茶の間に行くと、世にも悲しそうな泣き声を上げる。

「やかましいねえ」

和田がつぶやく。仕方がないので、おんぶして台所仕事をする。お腹の中にいたときから栄養が足りなかった上に、生まれてからも栄養のあるものは食べさせられなかった。

動物性たんぱく質が大事だ、とラジオで言っていたので、ひよこを四羽買った。武史が物置小屋を改造し、鳥小屋を作った。そこにひよこを入れ、庭のハコベや白菜の外葉を刻んで糠を混ぜてエサにした。時々貝殻を砕いて混ぜる。蒲生の鶏は茶色だが、これは真っ白な白色レグホンだ。初めて卵を見つけた日は、まだ温もりのあるのをそっと手のひらに入れて家に入り、卵焼きにして智恵美に食べさせた。黙々と噛んでいる。

夕食がすんで、片付けたところで、和田が茶の間の食卓に茶封筒を置いた。

「今月はこれでやってくれ」

封筒から取り出し、札を数えてみると先月よりも少ない。

「そんな、無理ですよ」

「給料が少ないからなぁ。切り詰めてやってくれや」

「これ以上切り詰めようがありません。それなら、皿でも壺でも掛け軸でも、なんでも売ってお金に換えてください。また余裕ができたら買えばいいでしょ」

和田は黙って横を向く。

「今、子どもに食べさせないと。病気でもさせたら取り返しがつかないでしょ。物にこだわっている場合じゃないわ」

無言を決め込む和田に言いつのるうちに、胸がひくひくしてくる。こんな人のところに帰ってきてしまった。

「あなたは家族なんかどうでもいいのよ。子どもより壺が大事なんや」

立ち上がると茶の間を飛び出した。玄関の本棚の上の丸い壺が目に入った。

「こんなもん！」

節子は喉が張り裂けそうに叫んだ。壺を手に取り、思い切りたたきに投げつけた。がしゃんと割れる鈍い音がした。

「どないしたん」

武史と美弥が玄関に飛びこんできた。

「なんちゅうことするねん。気がふれたんか」

和田の声が続く。節子は階段を駆け上がって、畳に突っ伏した。涙があふれた。

翌日、たたきの隅に割れた壺が新聞紙にくるんで置いてあった。魚の絵のついた、青磁の壺。魚の頭のところが大きな破片になって、新聞紙からのぞいていた。

それから一週間ほど、節子は和田に口を利かなかった。和田もこめかみのあたりを引きつらせて、無言を通す。夕食がすむと、反故紙の裏になにやら書きつけ、遅くまで起きている。最近は歌を詠むから、きっと節子を恨む歌に違いない。

そのうち無言のいさかいも、うやむやの内に終わった。生活費が減ったので、麦の量を増やして飯を炊いた。おかずは、節子が作った野菜と薄揚げの煮つけ。たまに豆腐をつける。翌月も、同じ金額を渡された。

台所の片付けを終えて掃除にかかった。茶の間の棚にはたきをかけようとして、二つ折りの紙に気がついた。きっと壺の歌だと思って、開いてみた。

　ととせまえ逝きし澄子は春なりきはらからなれど節子は秋なり
　亡き妻と正反対の我が妻の声だけ似たり庭にて子を呼ぶ

胸の中に固まりができ、ずしりと重く沈んでいく。あんまりではないか。和田が内心で澄子と比べていることはうすうす感じていたが、よくこんなことが言えたものだ。

澄子が生きていたころ、和田は人よりもいい暮らしをしていたから、澄子は、はい、はいと従順にしていればよかったのだ。節子が来た当時も、言い争ったことなどない。ところが戦後、自分から仕事を辞めて一年半も遊んで暮らしたせいで、食うにこと欠いた。それを棚に上げて、節子をなじる、なんと情けない人だろう。

気持ちのやり場がない。ふと、商店街の奥に、古道具屋があるのを思い出した。買い物のついでに様子を見に前を通る。店先に鉄瓶、藍色模様の小皿がたくさん並べてあり、ガラスケースには尺八が見える。

家に帰り押し入れの中の箱を調べた。青磁はやめておこう。「九谷焼梅花瓢簞型徳利」と書いてある箱を引っ張り出した。紐をほどいて取り出すと、白地に青と赤で華やかに梅の花を描いた徳利が出てきた。

次の日の昼前に、箱を入れた買い物かごを手にして、目当ての店に出かけた。ガラス戸を開けて入ると、椅子に座った主人がちらりとこちらに目を向けた。気づかないふりをして店内を見回し、それから声をかけた。

「あのぉ、これを売りたいんですが」

眼鏡越しに見上げる主人の視線が、ねっとりとからむ。

「へえ、どんなもんですかいな。見せとくなはれ」

この大阪弁が曲者だ。ぬるりと入ってきて、いつの間にかからめとられる。

「九谷の徳利なんですよ」

箱を主人の横の机に乗せた。主人は黙って紐をほどき、取り出して手に取ると回しながら見て、今度は持ち上げて底を見ている。

「どこで手に入れはったんでっか」

「以前福井におりましたから」

「そうでっか。なかなかええもんやけど、今はみんな壺やら皿やら買いまへんねん。そやからな、まあ、八十円がええとこですな」

そんなバカな。焼酎一升だって三十円はする。

「安すぎますよ」

「ほなやめときなはれ。持ってたら、そのうちもうちょっと、値が出るかわからへん」

節子はまじまじと主人の顔を見つめていた。焼酎三本にもならないとは。一気に気持ちが冷めていく。

「そうですか。分かりました」

徳利を箱にしまって、ひもを結び始めたが、うまくいかない。

「まぁまぁ、奥さん。待ちなはらんか。えらい短気なお人やなあ」

自分が安い値段を言ったくせに。

「それやったら、色付けて八十五円でどうだす。これで精いっぱいでっせ」

やはり安すぎる。ひもを結ばないまま、箱をかごに入れて身をひるがえして店を出た。


ひと月ほどたった日の昼過ぎ、玄関に声がして、出てみると近くに住む小林が立っていた。小林の家には早苗たちと年の近い娘と息子がいて、親しく行き来している。用ありげに見えたので、上げて茶を出した。しばらく世間話をしていた小林が膝に手をそろえて、改まった口調になった。

「実は、うちの長男が前々から鞠子さんを好いてましてね。けど、美人で頭のいい人やから、とても自分なんかと結婚してくれないやろうと言うてあきらめてたようなんです」

小林は言葉を切って、節子の顔を見上げた。

「けど先日、一回話を持っていってほしい、と言いますもんで。ご本人に話してもらわれしませんか。そのつもりがおありなら、住むところも用意させてもらいます」

随分とへりくだった物言いだ。

長男はやってくると、鞠子のそばを離れず、顔ばかり見ていたから、好意を持っているのはわかっていた。虚弱だとか視力が悪いとかで戦争に行かなかった。頼りない感じだが、人はよさそうだ。一度話してみると言って、引き取ってもらった。

その晩、和田に一部始終を話した。

「鞠子に縁談か。どんな男や」

「鞠子のことが好きでたまらないというふうですよ。おとなしい人です」

「親が会社を経営してるから、まあ暮らしは安泰やろうよ」

頭から断るという様子でもない。

「小林さんは、以前からあの広い敷地に住んでたんですか」

「いや、わしが四日市に引っ越す前には、あのあたりはまだ空き地やった。二軒か三軒分の土地を買うたんやろうな」

「何をして、そんなにもうけたんでしょうねぇ。お金に困らないのはいいけれど」

「人の話やと、小林は若い時に朝鮮に渡って大もうけして、終戦のだいぶ前に全財産を金に換えて帰ってきたそうや。向こうに住んでたわしの兄貴が、言うてたけどな、中にはえげつないことして、朝鮮人からむしり取る者もいて、実に情けないって」

朝鮮の農事試験場で技師をしていた和田の兄は、戦後になってから一家で帰国した。その時、手荷物の数は制限されたという話だ。

「鞠子ももうすぐ二十四か。小林は外地成金といったとこやけど、まあ悪い話やない。鞠子に話してみてくれ」

翌日、鞠子をつかまえて小林の話を伝えた。

「いやよ。あんな頼りない人。学校も出てないし。今すぐに断って」

眉をしかめて吐き捨てるように言う。美人で頭のいい人が、とても承知してくれないだろうと言っていたと話した時だけ、片頬がゆるんだ。

「頼りないところもあるようやけど、鞠ちゃんに一生懸命でしょ」

「あんな人に思ってもらいたくなんかないわ、まっぴらよ」

ぜひ結婚させたいとも思わないが、奥さんもいい人だし、もう少し話がしたかったが、取り付く島がない。次の日、小林の家に断りを言いに行った。

一週間たった夕食の時、鞠子がいきなり切り出した。

「ねえ、ママ。浜寺の進駐軍ハウスのメイドになろうと思うの」

節子は箸を持つ手を止めて、鞠子の顔を見た。何を言い出すのだろう。返事を待たないで、今度は和田に言う。

「お父さん、いいでしょ。給料が今よりずっといいのよ」

和田は、鞠子をちらっと見る。

「突拍子もないこと言うて。メイドって、なにをするんや」

「掃除したり、洗濯したり、子どもの世話をしたりよ」

「なんや、女中やないか」

「まあね。でもね、英語が話せるようになるし、給料は国から出るのよ。これからの人間は英語が話せなきゃダメよ」

和田がしぶしぶ「まあ、ええやろう」と言ったので、鞠子は早苗を誘って府庁まで面接を受けに行った。結果は鞠子が合格し、早苗は不合格だった。ほどなく鞠子は、身の回りのものを入れた手提げ袋を手に、さっそうと出て行った。

そして一カ月に一度ほど家に帰ってくると、節子に向かって眉をしかめ、口をとがらせて大げさな身振りでしゃべり続ける。

「ローラのオババはけちで意地が悪くてね。もっと力を入れて床を磨けとか、石鹸を使いすぎだとか、アイロンかけをやり直せとか言って。ほんとに嫌なやつなのよ」

これまでは、オババなんて品のない言葉を使わなかったのに。

「ローラのオババって、奥さんのことなの」

「奥さんなんてそんないいもんじゃないわ。下品なおばさんよ」

「そんなんじゃあ、働きにくいねえ。もう辞めたら」

「それはもったいないわ。軍人は除隊もするし、転属にもなるからね」

鞠子の言った通りに、やがて別の家庭に配置された。若い夫婦と子ども二人の家庭だ。

それからは、話題はアメリカ人の暮らしのすばらしさへと変わった。

「大きな電気冷蔵庫があるの。小さなタンスくらいよ。そこへいっぱい肉や野菜を入れておけるから、毎日買い物に行かなくていいの。氷はいらないし、よく冷えるわ」

「マヨネーズはおいしいの。生野菜にかけたり、ゆでてつぶしたじゃがいもに混ぜたり」

「ビン詰の練ったチーズをパンにつけてね……」

「食パンを焼く機械があるわ、火鉢で焼くなんて原始的なことはしないのよ」

「そんなものがあるの」と感心して聞きながら、節子の心は動く。電気冷蔵庫はいいだろう、チーズやマヨネーズを子どもに食べさせたい。

そんな話題の中に、女主人のことも混じった。服ばかり買って金遣いが荒く、夫婦げんかが絶えないという。

鞠子は帰ってくるたびに、見ちがえるほど変わっていく。女主人にもらった白いワンピースは、肩にパットが入って足首近くまでの長さだ。ヒールの高い白のサンダルをはいて、パーマをかけた髪は肩のところでふわふわと揺れている。

鞠子を見ていると、戦争中の姿と二重写しになる。白いブラウスに紺のジャンパースカートの制服を着て、髪は二つに分けて耳元でくくっていた。五年生になってからは、学業より勤労奉仕の作業ばかりさせられて、越中ふんどしを縫ったこともあった。それからわずか四年で、敵だったアメリカ人のようになっていく。


四月に小学校に入学する雅彦のために、いろいろ揃えなくてはならない。まずズック靴を買った。それから節子のセルの着物をほどいて上着とズボンを縫った。頼まれていた高田の息子に、学生服を縫った。金ボタンを探すのに苦労したが、仕上げて届けると、高田はたいそう喜んで、いつもよりたくさん米をくれた。それを麦と混ぜて炊いて夕飯に出したが、和田のくれた生活費で買ったわけではないと知らせておかなくてはならない。

「今日は内地米よ。高田さんから息子の学生服を頼まれてね、それでお米をもらったの」

「やっぱり内地米はうまいなあ。外米とは大違いや」

武史が言ったので、節子はうなずいた。

あとはランドセルだ。商店街の鞄屋に行くと、前は百二十円だったのが、三百六十円に値上がりしている。あのとき買えばよかったが、金がなかった。諦めてズックの鞄を買った。雅彦が肩から斜めにかけたところは、戦争中の兵隊を思い出させた。

雅彦は一日も休まず登校し、一学期が終わった。どんな成績をもらうのか楽しみだった。ところが目を通して、節子は落胆し、そしてかっとなった。

教科ごとに、〈大変よい〉〈ややよい〉〈普通〉〈ややわるい〉〈大変わるい〉と五段階の欄がある。雅彦はすべてが〈普通〉だ。そんなはずはない。できるところもできないところもあるはずだ。なんといい加減な先生だろう。子どもを全然見ていない。

「もっと児童の特質を研究して頂きたいと思います」

連絡欄に書いて、二学期の初めに持っていかせたら、二学期からは〈普通〉が減って、〈大変よい〉と〈ややよい〉が増えた。

秋には、早苗が南方から復員してきた会社の人と結婚して、家を出た。年が離れていると乗り気ではない早苗に、和田が強く勧めた。節子も「下には弟も妹もいるんだから、行きなさい」と急かせた。こんなことは鞠子には言えない。

しばらくは赤塚の叔父に紹介された会社に勤めていた和田が、やめて知り合いと一緒に建築の仕事を始めることになり、渡される生活費が少し増えた。

昭和二十四年の春、和田が初めて請けた大きな工事が完成し、自宅に仕事仲間を呼んで祝いの席を設けた。渡された金で、魚の塩焼きと煮しめをこしらえ、酒を用意した。二階座敷に客用座布団を並べ、お膳を置いた。焼き魚を雅彦と智恵美に食べさせた。

酒が回ると歌ったり手拍子をうったり、ずいぶんにぎやかだ。盛り上がってきたところで若い人が「夜霧のブルース」を歌った。「どうせおいらはひとり者」に続けて「夢の四馬路か虹口の街か」で高く声を張る。若い男の伸びやかな声を聴いて、いいなあと思う。軍歌はもう聞きたくない。

窓から、風に吹かれて桜の花びらが舞い込んできた。

「おお、桜吹雪や」と声が上がる。

花びらが一枚、和田が手にした杯の中にひらりと入った。歓声が上がる。

「こらまた、風流ですな」

「和田さん、さあさ、飲んで、飲んで。一気にやってください」

周りからはやし立てられて、和田は相好を崩して、花びらの浮く杯をしばらく眺めていたが、軽く持ち上げてから「ほな、飲ませてもらいましょか」と口に運んだ。わあっと声が上がり、「よろしいなあ」「ほんまの花見酒ですな」の声が飛び交った。


流しの水道を止め、皿をざるに伏せてから、節子は目を宙にすえて、下着の感触を確かめた。だめだ、かわいている。食事の後片付けを済ますと、たらいを出して洗濯に取り掛かった。たらいに張った水が暖かくなってきた。

これまで生理が遅れるなんてことはなかったのに、もう一週間もない。ひょっとして、と思うそばから打ち消した。気を付けていたし、たまには遅れることもある。様子を見ているうちに日数がたち、次の月になってもこなかった。節子は唇をかんだ。

子どもを寝かしてから、茶の間の和田の前に座った。青写真の裏に歌を書きつけていた和田が、顔をあげた。生活費の相談だと思っているのだろう。

「子どもができたようです」

「えっ、またできたんか」

和田は口を半開きにしてこちらを見ている。「また」という言葉にむっとする。

「わたしは二人産んだだけです」

「そらそうやけど、困ったなあ。仕事もやっと軌道に乗ったとこやし、美弥の学費もいるし。武史もまだ学生やし」

予想通りの返事だ。それでも心のどこかで「まあ、せっかくできたんやからな」との言葉を期待していたことに気づかされた。

次の日、節子は銘仙の普段着の洗い張りをした。ほどいてたらいで洗い、煮ておいた糊につける。軽く絞って、短いものは板に張り付けて刷毛で伸ばす。長いものには伸子（しんし）をさして拡げ、両端を挟んで、ひもで柿の木と梅の木にくくりつける。黄色の大きな格子柄が二本ゆらゆらと揺れる。智恵美が布の下をくぐって遊んでいる。

次にからいものツルをひっくり返すことにした。放っておくとツルボケして葉は茂っているのに、芋は太らない。力を入れて引っ張って裏返す。その後は台所の棚の拭き掃除をした。働いていると、考えなくてすむ。

少し前の新聞に、優生保護法が改正された、と載っていたのが、節子の頭をよぎる。

数日たって、夕食の後で、和田に切り出した。

「経済的理由で中絶できるようになったそうですよ」

和田が顔をあげた。

「そう言うたら、ちょっと前に、議会でえらいこともめて、やっと決まったと新聞に載ってたな。そうするか」

節子は黙ってうなずいた。

次の日、電車に乗って豊中駅で下り、線路沿いの道を行った。電車が音立てて金網の向こうを通っていく。あれに乗って遠くへ行ったら、と思う。

五分ほど歩くと木造の病院が見えてきた。お産は産婆の手を借りたので、病院の産婦人科に来るのは初めてだ。廊下にたくさんの女があふれて、座る場所もない。張り出した腹に目が吸い寄せられる。情けなくなるほど待たされて、ようやく名前を呼ばれた。

カーテンの奥の診察台に乗るように言われた。どうしていいかわからない。

「そこに足をかけて」「はい、そうそう」「あっ、こっちの足も」「じゃ、それでじっとしててくださいよ」

看護婦が感情のない声で、次々に指示をする。物になった気がして、目をつぶって頭を空っぽにしていた。診察が終わり医者の前に座った。医者はカルテに目をやっている。

「妊娠三カ月です、おめでとうございます」

おめでとう、の言葉が頭の上を通り過ぎていく。節子は息を吸い込んでから、中絶したいと言った。中年の医者が初めて節子に顔を向けた。

「どうしてですか」

「生活が苦しいんです。子どもを育てていけないんです」

口にすると胸が詰まった。医者はもう一度カルテに目をやり、子どもがいるかと聞くので、二人いると答えた。

「じゃぁ、家に帰ってこの書類にご主人の同意をもらってきてください。それから手術の日を決めます。早い方がいいですよ。子どもが大きくなるからね」

気抜けするほど簡単だった。子どもが大きくなるからね、の言葉が消えない。

窓口で支払いを済ませ、当日持参する手術費用を告げられた。思ったよりもずっと安かった。だが、和田には予想していた高い金額を伝えた。

手術の日、夕食の下ごしらえを済ませてから家を出た。豊中駅で降りて、線路沿いの道をまっすぐ前を向いて歩き、病院の玄関に入り、手術室に向かった。

看護婦の手で硬いマスクを鼻のところに当てられた。

「麻酔をかけますから、声に出して、一から数えてください」
一、二と数えていたが、ふっと吸い込まれていった。気がついたときは全部終わってベッドに寝ていた。少し頭がぼうっとしている。
「大量に出血するようなら、明日来てください。どうもなければ、来なくていいです。今日は安静にしてくださいね。無理をすると大出血することがありますから」

看護婦の事務的な注意を聞いて病院を出た。血が減ったせいか、頭がすかすかと涼しい。ゆっくりと足を運んで、道の端を歩いた。

家に帰ると、智恵美が走り寄って来た。この子はお姉さんになり損ねた、と思う。

無性に映画が見たくなった。最後に見たのは、赤塚の叔父の家で家事手伝いをして、門司にいた頃だから、まだ二十歳前だった。評判の高い「モロッコ」を見た。話の内容よりも、主人公の歌手役のマレーネ・ディートリッヒの長い脚に感心した。

池田駅のそばには映画館がいくつかある。封切がすんだ映画を遅れて上映するので料金は安い。見たいと思ったら我慢できなくなった。日曜日の昼すぎ、「二人をお願いね」と美弥に預けて、普段着のまま買い物かごを手にして家を出た。かかっていたのは洋画で「結婚五年目」。映画ならなんでもいい。

窓口で切符を買って中に入った。開演時間が過ぎているので、急いで場内に入って席に着く。まだニュースをやっていた。映画が始まり、暗い中で音楽が鳴りだすと、もう別世界にすっぽりと入っていく。ドタバタ喜劇に周りで笑い声がおこり、節子も笑った。終わって場内に明かりがついて、映画の世界は消え去り、元の自分がぽつんといた。

重いドアを押して場外に出ると、壁にいっぱい写真が貼ってあるのに気がついた。以前上映した映画の写真だ。ずっと見ていくと、燕尾服に山高帽子の写真がある。近づいてよく見ると、「モロッコ」の男装のマレーネ・ディートリッヒだ。細い三日月眉の下の目はキッと遠くを見つめて、強い意志がほとばしっている。怒りを秘めたような表情だ。十数年ぶりのディートリッヒに目を凝らしていると、両親や祖母、兄姉にずっと言われてきた言葉が浮かんでくる。

「女(おなご)のくせにそげん不愛想なこって、いけんすっと。嫁の貰い手がなか」

「おまんさぁは女(おなご)じゃっで、もちっと愛嬌がなけりゃいかん」

うれしくもないのに笑うことなどできなかった。

薄暗くなった道で足を速めた。映画の中のようなおしゃれな服を着てみたい、洋裁学校に入って縫えるようになろう。智恵美に木綿のワンピース、自分には足首まであるタイトスカート、美弥の普段着も古い。雅彦には開襟シャツと半ズボン、作りたいものが次々と浮かぶ。次の日駅前の洋裁学校に行き入学を申し込んだ。

夏も盛りになったころ、玄関に声がするので出てみると、高田が立っている。息子も一緒に来て、さっそく桜の木に蟬取り網をかざしている。

「トマトがようけできたから、あげようと思ってな」

目の前にトマトが差し出された。なんておいしそうなのだろう。礼を言って受け取り、奥に向かって「雅彦、高田君が来てるよ」と声をかけた。すぐに雅彦が顔を出し、庭に飛び出して行った。夏休みで遊び相手がなく退屈していたところだ。

「ええ柄やなあ、そのスカート。どこで買うたん」

高田は節子のスカートを見回している。洋裁を習いに行き、端切れを買って自分で縫ったと言うと、身を乗り出した。

「上手やなあ。うちにも縫うてほしいわ」

一週間後に採寸に行くことにし、それまでに高田が生地を用意しておくことになった。

日曜日に、雅彦を連れて高田の家に行った。雅彦はそのまま息子と外で遊んでいる。節子は初めて家の中に入って、広い座敷に通された。

「池田の商店街より、能勢口の駅前に安い店があってな、そこで買うたんや」

高田が生地を広げて見せた。大きな格子柄の木綿と濃い灰色のウール地だ。

「いい生地やねえ。ウールは長いタイトスカートがいいわ、いま流行ってるの。上に着るものでよそ行きにもなるし。木綿は動きやすい普段着がいいかな」

「ええなぁ、そないして。うちは背があるから、短いスカートはおかしいねん」

採寸してみると、背丈は節子とほぼ同じだが、肩幅とウエスト回りはやや大きい。

仕上げて届けると、高田はさっそく着てみて「ええなあ、おおきに。自分で言うのもなんやけど、よう似おてるなぁ」と言って、五百円札を差し出した。

「礼や、取っといて。また頼むわな。うちは既製品は無理なんや」

こんなにもらうわけにいかないと後ずさりする節子の手に、高田は札を押し付けた。節子は手の中の札を握りしめて、家に向かった。胸が弾んだ。雅彦は暇さえあれば古い百科事典を読んでいる。これで前から欲しがっていた少年朝日年鑑が買える。三百五十円もするので、手が出なかったのだ。茶の間に陣取って読む姿が目に浮かんだ。

残りの金で黒いウール地を買って、長いタイトスカートをこしらえた。こんな時は背が高いのが得だ。我ながら似合っているのに気を良くした。

これまで月に一回くらいは家に帰ってきた鞠子が、全く姿を見せなくなった。三カ月たっても音沙汰がない。なにかあったのだろうか。和田も帰ると一番に「なにか言うてきたか」と聞く。「いいえ、なんにも」。そんなやり取りが続いた。こちらから連絡のしようがない。

半年たった日曜日の昼すぎ、家の前に車が止まった。それから玄関のガラス戸が開いて、「ただいま」と声がした。

節子は玄関に走った。たたきに立つ鞠子を見て目を見張った。髪が短くなりパーマがきつい。灰色の上等そうな長いコート。口紅は真っ赤で、目じりに黒い線を引いている。アメリカ映画の女優のようだ。鞠子からコートを受け取るとき、強い香水のにおいが鼻をついた。近所の進駐軍将校の家にメイドはいるが、こんな人は一人もいない。

後ろからついて茶の間に入りながら、節子は抑えて言った。

「どうしてたの、連絡くらいしてくれたらいいのに」

「わたし？　元気よ」

軽い口調はいつも通りだ。武史が二階から降りてきて、大きな声をあげた。

「なんや、そのかっこうは」

「これ、今のはやり。あんた、知らないの」

「そんな人はおらんよ」

眉をひそめて武史は座った。庭仕事をしている和田を、智恵美に呼びに行かせて、和田が茶の間に入ってきた。

「ああ、お父さん。ただいま」けろりとしている。

「どないしてたんや。連絡もせんと」

「うん、忙しくてね。なかなか帰れなかったの」

そう言うと、紙袋を食卓の上に置いた。爪が口紅と同じ赤に塗ってある。雅彦がふすまを開けて入ってきた。後ろから智恵美が続く。

「あら、雅ちゃん、背がのびた？　このケーキね、あんたたちにあげようと思って持ってきたの。アメリカから送ってきたのをもらったのよ。ちょっと崩れてるけど、おいしいわよ。切ってもらいなさい」

節子は受け取って台所に行き、袋から取り出した。干しブドウとクルミが入った細長いケーキは、端がぼろぼろに崩れている。かけらを一つ口に入れてみる。濃い味が広がって、何とも言えないおいしさだ。

「そのなりで駅から歩いてきたんか」

茶の間から和田の声がする。鞠子が、ふんと鼻を鳴らす。

「歩いてなんか来ないわよ。送ってもらったの」

「誰にや」

「ビクター。今の家の主人よ」

ケーキを皿に載せ茶の間に運んだ。鞠子の両隣りに雅彦と智恵美が座り、ぴったりと身を寄せている。雅彦がケーキを口に入れ「おいしい」と言うと、智恵美がこくんとうなずく。満足そうな二人から目をそらし、節子は座って話に加わった。

「おいしいケーキやね。バターがたっぷり入ってる」

「そうよ、日本のケーキとは全然違うの。これはビクターのお母さんが焼いて、飛行機で送ってきたものよ」

「そんなものをもらっていいの。お母さんが家族のために送って来たんでしょう」

「いいの。食べきれないから」

奥さんと子どもが二人いても、食べきれないほどもらったのだろうか。ふと、夫婦喧嘩が絶えないと聞いたのを思い出した。もしかして奥さんと子どもが出て行き主人と二人きりなのではないか。まさか。それでも鞠子から目が離せない。

鞠子は、アメリカの電気洗濯機の便利さを話題にした。

「一度にたくさん洗えてね。日本みたいに洗濯板でゴシゴシこすらなくていいの。全部機械がやってくれるんだから、楽よ」

節子は洗濯機の魅力に心を奪われた。いいなあ。手にあかぎれもできないし、シーツの洗濯も楽になる。しかしとても値が張るだろう。洗濯機の話で煙に巻かれて、肝心のことは何一つ聞けなかった。帰り際に、連絡だけはしてほしいと念を押した。

「分かってるわ、じゃあね」

そう言い残して、風のように去っていった。帰りは歩くようだ。

年が明けてすぐに、節子は妊娠に気づいた。来年は四十になるので、もうできないだろうとすっかり油断していた。

「もう、子どもはええやろう。わしも五十六歳や」

和田は考える余地もないという口調だ。四十歳の出産になることや暮らしむきを考えると、中絶しか道がないと思う。でも、子どもを持つ最後の機会を手放してもいいのか、という声が胸の奥で響く。もう、考えないこと、と心の中で言ってみるが心が残った。

今回も、線路沿いの道を歩いて豊中市民病院に向かった。さえぎるもののない道に風が渦巻いて通っていく。

産婦人科の医者は、前とは別のもう少し若い人だ。節子の意向を聞いてカルテから目を離し、椅子を回してこちらに向き直った。

「あなた、これで二度目でしょう。こんなことを繰り返していたら、体を壊してしまいますよ。大量に出血するんですからね。子宮の壁が傷つくことだってあるし。ご主人に避妊に協力してもらいなさい。子どもは一人ではできないんだからね。いいですか」

節子はうなずいて、うつむくしかなかった。

手術を終えた日、駅の改札を出てだるい体を家に向かって運んだ。一本道のはるか先に、えんじ色の帽子をかぶった女の子がいる。古くなったセーターをほどいて染めて節子が編んだ帽子。智恵美の下校と一緒になった。横にいるのはいつも連れ立って帰る同級生だ。智恵美が振り返って節子を認め手を振った。節子も手をあげた。

智恵美に追いつくと三人で並んで歩いた。ゆっくり歩く節子の顔を智恵美が何度も見上げた。家に入って着替え、布団を敷いて横になった。全身の力が抜けてまっすぐ立っていられない。

「今日は、母ちゃんの具合が悪いから、うるさくしたらあかんよ」

遠くで美弥の声が聞こえた。

次の日の朝いつもの時間に起きて、食事の用意をし、みなを送り出し、後片付けと洗濯をした。たらいの水が冷たくて手がちぎれそうだ。寒さが芯にまで入り込む。干し終わって家に入り炬燵にもぐりこんだ。冷え切った体はなかなかぬくもらない。何もする気がしなくて、気持ちが塞ぐ。ふと、前から高田に夏のブラウスを頼まれていたのを思い出した。今日のうちに、裁断しておこう。

翌昭和二十八年、和田が建設会社に職を得た。定年を過ぎているので、嘱託身分で給料は安いが、毎月決まった額が入るので安心だ。

智恵美の小学校のｐＴＡ役員を頼まれ、学校に行く機会が増えたが、着ていくものがない。それで、洋裁学校の先生に薄いグレーのウール地を分けてもらい、難しいところを手伝ってもらってタイトスカートのテーラードスーツを作った。費用は高田にもらった分と手術費用の残りから出した。役員会に着ていくと、節子以外は全員が着物だった。この人たちは着物を売らなくてもよかったのだ。

「まあ、和田さん、ハイカラなお洋服ねえ。よく似合ってらっしゃる」

何人もが声をかけてくる。ほめられていい気分だ。

何度か委員会に出席するうちに、親しく言葉を交わす人もできた。

「さっきお見掛けしたら、お嬢さんに素敵なお洋服を着せてらっしゃるのね。赤と黒のタータンチェックのワンピース、かわいいわ、中原淳一の絵みたい」

「まあ、中原淳一だなんて」

節子の声は上ずった。中原淳一の絵は大変な人気で、淳一の表紙絵だった「少女の友」は早苗と鞠子が奪いあって読んでいた。

「端切れを買って縫ったんですよ」

「お上手なのね。うちは男の子ばかりで着せる楽しみがないの。女の子はいいわねぇ」

上品でしとやかな人だ。委員の中には、節子が一人で勝手にやってしまうと、陰口を言う人もいるが、そんな人とは違う。帰り道も胸が弾んだ。

武史が大学を卒業して、就職した。

在学中の授業料三千五百円は和田が封鎖預金から払ったが、定期代や本代は奨学金と、家庭教師や荷車引きのアルバイトをしてまかなった。弁当を持たせてはいたが、おかずはいつも畑で採れた人参の煮つけで、「和田君、人参が好きやなあ」と言われたと聞いて、気が引けた。

高等学校の頃は、友達がよく家に来た。

「ママ、明日の夕方、友達が来てすき焼きをするから、七輪を使わして」

武史が流しの下をのぞいている。材料を持ち寄って鍋をするのだ。

「いいよ、出しておくわ。野菜を切るんだったら、持ってきて」

次の日、高校生たちが玄関に姿を現した。

「こんにちは、お邪魔します」

大きな声であいさつして頭を下げ、足音を立てて階段を上がっていく。五人は詰襟服に帽子をかぶり、マントを羽織っている。兄たちが高等学校の生徒だった頃とまったく同じいでたちなので、懐かしい気持ちになった。学制が変わって旧制の高等学校は廃止になったので、マント姿も見られなくなる。武史たちが最後の旧制高等学校の生徒だ。二階から歌声が響いてきた。いつも武史が歌っているドイツ語の歌だ。美しいメロディーが胸にしみる。戦争が長引いていたら、武史も学徒動員で出征していただろう。

歌声がやんで美弥が階段を上がっていく。その後から雅彦と智恵美が上る音がする。高校生たちが相手をしてくれるので、来たときは必ず二階に行く。二人のはしゃぐ声が聞こえてきた。しばらく待ってから切った白菜とネギを二階に持っていき、二人を連れて下りた。二階から肉の焼ける匂いが漂ってきた。すき焼きなんてもう何年も口にしていない。

武史の就職先は建設会社で、設計事務所に入ってほしかった和田は「土建屋か」と言って機嫌が悪い。最初は現場で働くので、ワイシャツも一日で汚れてしまう。帰りが遅く、家で夕食をとることが少なくなった。そんな武史に食費を入れてとは頼めない。

三カ月ほどたった日曜日の朝、武史が財布から百円札を抜き出して節子に差し出した。

「ママ、これでステーキ肉を一枚買って焼いてほしいねん。三時ごろでいいわ。おれ、急に肉が食べたなっててん」

節子は胸が騒ぐのを抑えた。

「わかったわ、買っておくね」

昼飯用にうす揚げとうどん玉を買い、その足で肉屋に行き、上ロース肉百円分をステーキ用に切ってもらった。三時になったので、肉を瓶でたたいてのばし塩と胡椒をしてフライパンで焼いた。肉の焼ける匂いが立ち込める。武史は台所の狭い台で、フォークとナイフを使って肉を切って口に運ぶ。

足音がして、隣りの茶の間に雅彦が姿を現した。遊びに行ったと思っていたら、家にいたのだ。武史にじっと眼を注いでいたが、みるみるうちに顔が引きつり、くるりと背を向けて出て行った。床を踏み鳴らす足音が遠ざかる。

入れ替わりに智恵美がふらりと台所に入ってきた。武史を目にして足を止め、口を半開きにしてまじまじと見ている。

「あっちに行ってなさい」

押し殺した声になった。智恵美はちらっと節子を見上げると、すぐに向きを変えて姿を消した。節子は流しに向かい、油で汚れたフライパンを、石鹸を付けた亀の子たわしで力いっぱいこすった。

和田は昼食のあと庭に出て、植木の世話や草取りをしているが、この場にいればよかった。雅彦と智恵美の顔を見ればよかった。武史も二人に見られたのではおちおち食べられなかっただろう。一口食べさせてやれば二人とも気がすんだのに。

夕方になり、庭仕事を終えた和田が家に入ってきて、作業着を脱ぎながら「茶をくれや」と言った。節子は黙って冷めた茶の入った湯飲みを差し出した。


突然、日曜日の昼過ぎに、鞠子が鞄を手に帰ってきた。前ほど派手な服ではないので、胸をなでおろした。

「伊丹の進駐軍基地のピーエックスで働くことにしたわ」

ビクターの家を出たのだ。よかった。でも、またなにを言い出すことやら。

「ピーエックスって、なになの」

「アメリカの品物を兵隊に売るの。食べ物から飲み物、服にたばこにウィスキーまでなんでもあるわよ」

楽しそうな様子に、やはり結婚して家にいるのには向いていない、と思う。話を聞いた和田は渋い顔になったが、何も言わなかった。

鞠子の通勤に着る服がどんどん増えた。「装苑」に載っているのとはまるで違う。ワンピースでもスカートでも、広げたら円になりそうにフレアーが広い。

晩酌をしていた和田は、鞠子が部屋に引き取るのを待っていたように、口を開いた。

「この前、仕事で蛍池駅の近くまで行ったんやけど、駅から基地のゲートまでの道はえらいことになってるわ。鞠子はあんなとこを通って勤めに行くんか」

「えらいことって、どうなったんですか」

和田はため息をつく。

「道の両側にピンクや黄色や赤のペンキを塗ったバラック建ての建物が並んで、まるで西部劇の街みたいや。名前もテキサス通りやて。看板は全部英語で、バーとカフェとキャバレーや。特殊飲食店もあるらしい」

一息ついて和田が続けた。

「昼間からパンパンが米兵と連れ立って歩いてたわ。ちょっと離れたところにはパンパンハウスがあるんやて」

「なんですの、そのパンパンハウスって」

和田は杯を飲み干すと、急に声を潜めた。

「農家を改造して連れ込み宿にしてる言う話や。鞠子はアメリカがそんなにええんか。日本にも会社はあるやろう。メイド言うたかて、女中やないか。今度はピーエックスか。売店の売り子やろう。高等女学校の五年生まで行かしたのに……」

今日は晩酌が長くなりそうだ。


「ピーエックスの品物を日本人は買えない規則だから、みんな買ってもらう兵隊を決めて、頼んでるんだって。だからわたしも決めたの。ジョージ・ハリスというの」

鞠子は台所で、ホウレンソウの胡麻和えを皿によそいながらしゃべる。

「いくつなの」

「十九歳よ」

「七歳も年下じゃないの」

「そうよ」鞠子はアメリカ人のように、ひょいと肩をすくめる。

鞠子に頼んでジョージに食料品を買ってもらうようになった。ダーキーのマヨネーズ、練ったチーズ、コンビーフなど。金がないので、少しずつしか頼めない。それでも栄養失調の雅彦と智恵美に少しはましなものを食べさせられる。だが、智恵美は喜んでチーズを食べるが、雅彦は口にしない。せっかくなのに、言うことを聞かない。

今度の日曜日にジョージを家に連れて来ると鞠子が言う。どんな人なのか。掃除をして待った。

　日曜日の昼すぎ、鞠子の後からジョージが玄関に入ってきた。身をかがめて鴨居をくぐり茶の間にまっすぐに立ったのを見て、背の高さに驚いた。髪は金茶色で、目は薄い茶色、肌の色は白くて赤みがかっている。

　ジョージが掘炬燵に足を入れて座ると膝がつかえて窮屈そうだ。食卓の周りをみんなが取り囲む。節子は、手土産にもらったクッキーの缶を開け、紅茶を入れて出した。

「ボーイフレンドよ」鞠子が紹介した。ジョージが低い声で話すのを鞠子が日本語に訳す。空軍の戦闘爆撃隊に属して、飛行機に乗って爆弾を落とす訓練をしているそうだ。おだやかでまじめな青年に見えた。

　それからも、時々鞠子は日曜日にジョージを家に連れてきた。ババ抜きや七並べをして遊び、子どもたちの笑い声が絶えない。だが、和田だけはあまり口を利かない。

「腕相撲をしよう」と武史が言いだした。ジョージと武史は腕まくりをして、食卓の上で手を握りあって待つ。鞠子が「ゴー」と声をかけると二人の腕に力瘤ができる。やがてじわじわと武史の腕が傾き、最後は一気にジョージがねじ伏せた。

　横で雅彦がやりたそうに待っている。鞠子が「雅ちゃんは両手でしたらいいわよ」と言ったので、雅彦は棒きれみたいな細い手を延ばしてジョージの大きな手をつかみ、力を入れてねじ伏せようとしたがびくともしない。しばらくそのままにしてくれていたジョージが少し力を入れると、あっけなく片付けられた。

節子もやってみたくなった。

「じゃあ、わたしも」

「ママもやるの」鞠子が目を丸くしている。

ジョージの手を握ると、節子の手の日焼けが際立つ。思い切り力を入れたが、びくともしない。あっという間にねじ伏せられた。ジョージが何か言い鞠子が訳した。

「ママのこと、力があるって」

節子は笑った。実家にいた頃は、つるべで井戸水を汲んで、何杯も風呂に入れていた。戦後は畑仕事ばかりしているから腕っぷしも強くなるはずだ。

毎月の生活費を少しずつ貯めて、GEのアイロンと立ったままかけられるアイロン台を手に入れた。これでワイシャツにしわを作らずにかけられるようになった。やはりアメリカのものはいい。

ジョージが来た日、和田が二階でごそごそしていると思ったら、刀を持ち出してきた。

茶の間に座って、布袋から黒い鞘を引き出す。

「ほら、これが、日本刀や」

ゆっくりと抜いて見せると、刀身が蛍光灯の光にきらめく。

「オー」

ジョージは驚きの声をあげ、柄を手に取って向きを変えて眺めている。鞠子が横から英語で何やら説明している。

基地のクリスマスパーティーに行くために、鞠子がオーダーブックから選んで買ったドレスは、目も覚めるような緑色で、長さは裾まである。スカートが広く、胸元が大きく開いたフレンチ袖。歩くとシュッシュと衣擦れの音がする。イヤリングとネックレスがダイヤのように白い光を放っている。タクシーがきて二人は乗り込み、智恵美と一緒に、門の前で見送った。その晩はいつ鞠子が帰宅したのか知らない。

正月が明けてすぐに、夕方帰ってきた和田が、気にかかることがあるような顔付きだ。着替えを手伝って丹前を後ろから着せかけると、帯をくるくると巻いて、すぐにこちらに向き直った。仕事で大阪に来ていた赤塚の叔父と会ってきたのだ。

「早苗の結婚と武史の就職の話をしたら、叔父さんもえらい喜んではった」

そこまで言うと、急に和田は声をひそめた。なにかいやな話になりそうだ。

「鞠子がパンパンみたいなことをしてるそうだが、本当なのか、ってえらい剣幕でな」

節子は全身がかっと熱くなった。恥をかかされた気がした。

「伊丹基地のピーエックスに勤めてます、て説明したけど、叔父さんは得心してない風やった。親戚の誰かがそんな話を耳に入れたんやろう」

もしその場に節子がいたなら、叔父は言っただろう。

――そんなみっともないこと、すぐにやめさせろ。嫁にやらないでどうするんだ。おまえがしっかりしないからじゃないか。

しかし、鞠子は自分のやりたいようにする。それに節子を親だとは思っていないのだから、何も言えない。


近ごろ美弥は仕事から帰ってくると、節子を捕まえて毎日のように訴える。

「つまらんわ。むなしいねん。毎日伝票を書いて、ハンコを押して、在庫の整理して。わたし、もっと有意義なことをしたいわ」

「有意義なことって、何よ。したいことでもあるの」

「人の役に立つことがしたいわ。このままやったら頭が空っぽになりそうや」

節子はカレーの鍋から顔をあげて美弥を見た。丸い顔、濃い眉の下の大きな目、四人の中で一番澄子に似ている。

美弥は武生女学校二年の二学期を終えたところで大阪に戻り、府立の高等女学校へ編入しようとしたが断られ、私立の女学校に入った。節子が鹿児島に帰っている間のことだ。

「お父さんは、学校のことに関心がないから」と、不満を漏らしたことがある。

高校三年生になり、進路希望調査の紙をもらってきた。友達がどこの大学を希望しているという話ばかりするので、美弥も大学に行きたいのだろうと察しはついたが、和田にはとても費用は出せない。美弥もそれがわかっているから口には出さず、就職することにした。成績もいいし人好きのする性格だから、銀行や証券会社などの大きな会社に推薦してもらえるのではないか。そう期待する反面、足のことが不利になりはしないかという心配もあった。ふたを開けてみると、推薦されたのは中小企業だった。きっと足のせいだ。本人は誰よりも分かっているのだろうが、口には出さなかった。今は大阪市内の真空管製造会社の事務員として勤めに出ている。

節子はどうしたものかと思案するうちに、近所の吉田先生に頼んでみようと思いついた。

大学付属研究所の先生だから、何か仕事を紹介してくれるかもしれない。さっそく奥さんに頼み込んだ。

「よく智恵美ちゃんを迎えにいらっしゃるけど、本当にいい方ですね。親切で面倒見がよくて。一度、主人に聞いてみます。研究所に何か仕事があるかもしれません」

奥さんは快く引き受けて、しばらくして、研究所の仕事を紹介された。正職員でなく、私費雇いのアルバイトだが、美弥は手放しで喜んで、すぐに会社を辞めて研究所に通いだした。帰ってくると、同僚や助手の先生たちの話を楽しそうにする。休みの日には、同僚と映画や美術館へ行き、娘らしい日を送るようになった。

一年が過ぎ紅葉の季節になった。日曜日に職場の人たちと、五月山から箕面の滝までハイキングに行くと言う。不自由な足で、山道を何キロも歩くなんて、無茶だ。節子は「辞めなさい」と何度も止めたが、きかなかった。

それから一週間ほどして、帰宅した美弥がスカートをまくって見せた。

「ママ、ちょっと見て。膝が腫れて、痛いねん」

顔を近づけてみると、膝がしらがうっすらと腫れている。

「ほら、やめとけばいいのに、ハイキングなんか行くからよ」

腫れがひどくなってきたので、研究所の先生の紹介で、大学病院の整形外科を受診し、一週間後に結果を聞きに行った。帰ってきた美弥は何も言わずに、台所の入り口に立っている。

「どうだったの。なんて言われたの」

うつむいたまましばらく黙っていたが、やっと顔をあげた。

「結核性の関節炎やて。手術で菌に侵されたところを取り除かないかんらしいわ」

小学校一年生の時、手術した医者から、爆弾を抱えているようなものだと言われ、その後再発して二度目の手術をした。それからは何ともなかったので、もう直ったと思っていた。結核が子どもたちにうつりはしないだろうか。

大学病院の廊下の長椅子に、和田と二人座っていた。外は春の日が照り、それが一層廊下を暗く感じさせた。予定時間を過ぎても手術は終わらない。

「まだか、えらい長いなあ」和田が腕時計を見てつぶやく。

ようやく手術が終わって、執刀した医者と話ができた。

「病巣のある骨を削るのに時間がかかりましてねぇ、出血がひどくて輸血をしたんですよ。

もう大丈夫です。悪いところをすっかりとり除きましたから」

きびきびと自信に満ちた物言いに、不安が消えていった。礼を言って頭を下げる。

「ストレプトマイシンを打って、結核菌をやっつけますから、再発はしないでしょう」

ストレプトマイシンで、結核が治ると新聞に出ていた。これで爆弾はなくなるのだ。

「先生、膝は曲がるようになるのでしょうか」

和田の声は痰がからんだようにかすれている。

「ええ、後の訓練で、少し曲げることはできます」

「よろしくお願いします」和田はホッとした様子で、頭を下げた。

医者は、長年膝を曲げなかったから、筋肉が縮んで固まっている。それを延ばすには根気よく訓練しなければならない、と付け加えた。

退院の翌日から、みんな出払った家の中で、美弥はうつぶせになって、足首に巻いた腰ひもをミシンの足に通して引っ張り、膝を曲げる訓練を始めた。節子は横で見ていた。

「ほんとにすこし曲がるようになったね」

「でも、これ、痛いんやわ。思い切り力を入れんと曲がらへん」

涙がうっすらとにじんでいる。よほど痛いのだろう。

やがて松葉杖なしで歩けるようになり、吉田先生の家に挨拶に行った。仕事に出る日を決めて機嫌よく帰ると思っていたら、勝手口から戻った美弥が涙で頬を濡らしている。

「わたし、クビになった」

泣きながら話すのを聞くと、私費の臨時雇いだったから、休むとそれで終わりなのだそうだ。

しかし泣いたのはその日だけで、後は節子の手伝いをしたり本を読んだりして過ごしていた。膝の訓練は毎日続けていたが、日がたつにつれて曲がらなくなってきた。

「もうええわ。これ以上続けるのは無理。痛すぎるもん」

そう言ってとうとうやめてしまった。

「諦めてしまうの。せっかく少しでも曲がるようになったのに。もう少し続けてみたら」

「もうええねん、曲がらんでも。できへんもん」

最後は自分に言い聞かせているようだった。

しばらくして、研究所の先生に呼び出されて大阪に出かけた。そして夕方に帰って来たときは、すっかり顔つきが変わっていた。片付けを手伝いながら、興奮した口調で話し始めた。

鹿児島の鹿屋に、星塚敬愛園という国立療養所がある。四月から先生がそこに赴任することになった。それで、付属の准看護学校へ入学して看護婦になることを勧められた。それにこのたび、先生は美弥の親しい同僚と結婚することになった。

話を聞いて結婚相手が美弥だったらよかったのに、と思った。看護婦は走り回り、患者を抱え上げ、夜勤もある。はたしてできるのだろうか。

「あんた、大丈夫なの」

「平気。足もようなったし。まだはっきり返事をしてないけど、行こかなと思ってる」

「費用はどうするの。お父さんは出せないよ」

看護学校には寄宿舎があり、学費も教科書代も三度の食事代も要らない。ただ卒業後二年間は療養所で働くことが決められているという。お礼奉公だろう。

美弥がさっきからなにか言い淀んでいる。言いにくいことでもあるのだろうか。

「あのねママ、そこはハンセン病患者の療養所なの」

節子は息をのんだ。そういえば「鹿屋の療養所」にはうっすらと聞き覚えがあった。

「もしかして」

「そう、以前はらい病と言われてたけど、最近そう呼ぶようになったんだって」

節子が子どもだった大正時代のことだ。ぼろを着た病者が家に物乞いに来ると、母は病者が拡げる袋に蒸し芋を入れてやっていた。あの人たちのいるところに勤めるなんて。

「うつったらどうするのよ」思わず声が大きくなった。

「大丈夫。これまで医者や看護婦でうつった人はいないんやて。今は薬ができて治るようになってるし」

不安は消えないが、すっかりその気になっているのを見て、口をつぐんだ。

「お父さんに言いなさいよ」とだけ言った。

次の日の晩、和田が茶の間で晩酌をしているところへ美弥が入って来て、看護学校の話をした。聞き終わってから、和田は手にした盃を見て黙っていたが、やっと口を開いた。

「看護婦か、お前がしたいんやったら、ええやろう。手に職をつけるのはええことや」

和田は、美弥が閉めて出た後の襖に目をやり、それからうつむいてため息をついた。

美弥は看護学校に入ると決めてからは、すっかり以前の明るさを取り戻して、病気についての本を読んだりして過ごしている。

夕食の後、美弥が流しで皿を洗っている途中で振り向いた。

「ママ、看護学校は、学費も食費もいらんけど、ちり紙や鉛筆や身の回りの物を買う小遣いがいるんよ。いくらかママから仕送りしてほしいねん」

今でも家計はぎりぎりで、雅彦も来年には高校に進学する。これから二年間の仕送りは無理だ。出してやらないと恨みに思うだろうが、仕方がない。

「わたしがもらう生活費からは、とてもできないわ。お父さんに言ってみて」

すると即座に首を振った。

「そんならええわ。お父さんには言わんとく。ごちゃごちゃ言われたないもの」

金のことで夫婦のいさかいが絶えないのを、目にしているからだろうか。

どうするのかと思っていたら、早苗と鞠子に頼んだという。それを聞いてホッとする反面、気持ちがすっきりしなかった。

和田には簡単に知らせることにした。

「看護学校は無料でも、小遣いがいってね。わたしのもらう生活費から出せないと言ったら、早苗と鞠子に、仕送りしてもらうそうです。働くようになったら返すでしょうよ」

「そうか」の一言が返っただけだ。手術や入院で出費がかさんだからか。しかし半年前に武史が結婚した時には、結納金を出した。それに比べるとわずかな額だ。長男には金を出すが、娘には出さない。時代が変わっているのに、頭の中は昔のままだ。

日曜日に、出かける前の鞠子に声をかけた。

「仕送りのこと、悪いね」

「大した額じゃないから、大丈夫よ」

笑顔で言った後で、付け足した。

「婦長になったら、利子をつけて返してもらうわ」

そう言うと、さっとハイヒールを履いてカツカツと音立てて出て行った。冗談だろうが、本気も混じっているように見えた。節子は美弥に、くぎを刺した。

「働くようになったら、二人に返しなさいよ」

美弥は節子に向けた視線をそらして、遠くを見据えた。

「あの人たちは、五体満足に育ったんやから、わたしにそれぐらいしてくれてもええねん。返さんでもかまへんねん」

低い声だ。節子はすぐには言葉が出なかった。だが、はっきりさせておかなくてはいけない。

「それは、違うわ。返さなきゃだめよ」

美弥はこわばった表情のまま、返事をしなかった。こんな気持ちでいたのか。

和田も陰でため息ばかりついていないで、「仕送りしてやりたいけど、下に小さい子がいてできないんや、こらえてくれ」と言えば、美弥の気持ちも少しは収まったはずだ。

4

昭和三十一年の一月、届いた郵便物のなかに、白い封筒が一通あった。節子あてで、福子の几帳面な字だ。鹿児島市内に住む福子は、ときどき両親の様子を知らせてくれる。家に入るとすぐに封を切った。

父が外の便所に行こうとして縁側から落ちて大腿骨を折り、動けなくなった。体の自由が利かなくなった父は焦れて、時折頭が混乱することもあると書いてある。

胸が詰まった。海軍暮らしが長く、頑健さを誇っていた父が歩けなくなるなんて、想像もできない。体がままならないことが歯がゆくてしかたがないだろう。田舎の家には、外にしか便所がない。家の中にあれば、こんなことにはならなかった。「ぐらしかよ」。思わず鹿児島言葉が口をついて出た。三年前父の米寿の祝いに、久しぶりに蒲生の実家に帰った時はかくしゃくとしていたのに。学校が春休みになったら、すぐに帰ることにして日を送った。

父が一層弱って、一日中うつらうつらしていると、福子から次の手紙が届いた。父のことが気になって、家事の手が止まる。その後、どんな具合なのだろう。

突然、電報が来た。

「二七ヒ　チチシス　フクコ」

二月二十七日、父が死んだ。こんな急に、死ぬなんて思ってもみなかった。茫然となって涙も出ない。力が抜けていく。すぐに帰ろうと思ったが、今から帰っても葬式に間に合わないので、帰れないと電報を打った。手紙をもらってすぐ、無理をしてでも帰ればよかった、と後悔が湧く。

今日は父の葬式だ。十時に始まると知らせがあったから、ちょうど今だ。母ときょうだいとその連れ合い、親戚や近所の人々が集まったところで、神主の祝詞が始まっているだろう。そのあと、切った竹にのぼりをくくりつけて、墓地まで歩いて行く。棺を担ぐのは、兄たち三人と男孫たちだ。母はどうしているだろう。

追って静夫から手紙が来て、封を切ると、便せんの間から写真が出てきた。

布団に寝かされた父。こけた頬を白髪交じりのひげがおおい、半分口を開けて目をつぶっている。死に顔なんか見たくない。悲しいより情けなくて涙が出た。墓地の写真もある。竹が何本も立ち、神主と静夫の後ろ姿が写っている。父を土に埋けたのだ。

父は厳しいけれど、情のあつい人だった。戦後の食糧難の時、いこ餅粉や豆、切干などを送り、武史をひと夏預かって食べさせてくれた。季節ごとにはがきが来て、元気でやっているかと書いてきた。苦労しているると思ったのだろう。

静夫の手紙には、母のことが書いてあった。少し前から食べ物が喉を通りにくかったが、医者に診せていなかった。このたび医者に連れて行くと、食道にガンができていて、手術はできないと言われたとある。

どうしてまた、ガンなんかになったのか。手術ができないとは、助からないということか。父よりも十歳も若いのに。父の時にはぐずぐずしていて間に合わなかったから、春休み前に蒲生に発った。鹿屋の準看護学校を受験する美弥も一緒だ。留守を鞠子に頼んだ。

汽車の切符を三等にするか、寝台をとるか迷った。一番安い二等B寝台の上段でも一六八〇円もする。ところが、長旅だからと言って、和田が寝台の費用を出してくれた。おかげで夜はいくらか眠ることができた。

朝、鹿児島について、日豊線に乗り換えて加治木で降りた。家に着くのは昼前になるので、近くの食堂に入って親子どんぶりを二つ注文した。待っている間に、隣の席から客の話が耳に入ってくる。鹿児島言葉にほぐれていく。

「蒲生の紙すきもこん頃は廃れてきたもんじゃっど。昔は盛んじゃって、何軒もやっちょっとこがあったが」年のいった方の男が言う。

「今じゃ紙すきなんぞ、はやらんが」節子よりも少し若い男が答える。

「じゃがよ、風合いが違うちょる、それに丈夫で、長持ちすっと」

「そげなもんかね。おまんさあはやっちょったね」

「いや、おいは親戚の家ん手伝いにいて、カジノキの皮剥ぎをしちょった。紙すきは誰でんでくるもんじゃなか」

しばらく紙すきの話が続いた。子どもの頃、父が紙の商売をしていたことが思い出されて、懐かしい気持ちになった。気がつくと二人の話は、焼酎に移っていた。白麹仕込みがうまいとか、いや白金乃露がいいとか、好みの銘柄についてにぎやかに話している。父も毎晩囲炉裏で焼酎を温めて晩酌をしていた。中に火が入って燃えだして、おお慌てで消したこともあった。

待っていた親子どんぶりができてきた。

「ああ、おいしそう。お腹が空いたわ」

節子は胃のあたりがまだ落ち着かないので、少しずつ口に運ぶ。若い美弥は食欲旺盛で、すぐに平らげてしまった。それから乗合自動車で蒲生に向かった。

戦後すぐに、静夫に連れられて子ども二人と夜道を歩いた時を思った。長い道のりだった。静夫のリュックの上で寝込んだ雅彦の毛糸の帽子が、着いたときにはなくなっていた。

道路わきの木々の奥に、枝を大きく広げた楠が見える。ぼんやりと外をながめているうちに、眠っていたようだ。大きく揺れて目を覚ました。

自動車を降りて、家に向かうと、義姉の千代が門口に立っていた。後について土間から上がると、囲炉裏が目に入った。家に帰ったのだ。母は納戸に寝ていた。

「おっ母はん、節子さんが帰りやったが」

その声に、母がうっすらと目を開けた。やせて、頬骨が目立つ。まぶたが重そうだ。

「どんな具合ね、おっ母はん」

ウーンとうなり声をあげて、母が身を起こそうとした。

「よかよ、寝てれば」

節子が止めると、千代が母の背中に座布団をあてがって、半身を起こした。

「遠いとこを帰って来やったんじゃね。みんな変わりはなかね」

「元気よ。和田も仕事に行ってる」

早苗に子どもが生まれたことと、武史の結婚は父への手紙で知らせてあった。

「お父さんの墓には参ったね」

「荷物を置いてから行くわ。一週間ほどいることにしたの」

「じゃっと。ここんとこ、あたやなんも喉を通らんのよ」

「コンデンスミルクを薄めて少しずつ飲ませっちょるのよ。それならちっとは入っていくよじゃ」

そばから千代が言う。あんなに食べることが好きだった母が食べられないのはむごい。ブリのあらを入れた切干の味噌汁に、せんじを溶き、やけどするほど熱いのを飲んでいたが、あれがよくなかったのではないだろうか。

「美弥が鹿屋の看護学校を受けることになって、一緒に来たのよ」

母はあまり字が読めないので、仔細は手紙で福子に伝えてあった。

「お祖母さん、具合はどうですか」

美弥が枕もとでのぞきこんだ。

「ものが喉をとおらんでね。おまんさぁも大きゅうなったもんじゃ。いくつになりやった」

母は肩で大きく息をする。

「今年、二十四になります」

「もうそげな歳になりやったね。鹿屋の看護学校を受けるっち聞いたが、ご苦労じゃねえ」

母は美弥に視線を向けた。美弥がいきさつを話し始めたので、節子は千代について台所に行き、コンデンスミルクの置き場所と、薄め具合を聞いた。あまり濃いと喉を通らないという。離れに戻る千代を見送り、納戸の前まで行き、引き戸に手をかけようとしたとき、中から母の声がした。

「節子は、きついで、こらえてくれんね」

手が止まり、その場に棒立ちになった。母の言葉が突き刺さる。まるで節子が邪険にして追い出したようだ。美弥の返事は聞こえない。

そのまま台所に引き返して土間におり、隅に立てかけてあった母の下駄をつっかけた。二三歩行きかけて立ち止まり、奥に向かって大きく声をかけた。

「美弥ちゃん、ちょっと離れの正夫兄さんのとこに行ってるから」

庭を鶏が歩き回っている。節子は歩きながら足で追い払った。

「義姉さん、世話になって、あいがとね。兄さんは、変わりはなかね」

縁側から声をかけた。

「節子さぁ、上がっちょくれ」

出てきた千代の歯が一本欠けているのに、初めて気がついた。歯医者に行く金もないのだろう。

「お祖父さんが、逝っきゃったで、気落ちしっちょるよ。節子さぁを見れば喜びやっど」

縁側から上がって、座敷に座ったところへ、奥から正夫が出てきて笑顔になった。一瞬父かと思った。面長なところが父に似ていたが、ますますそっくりになっている。節子も笑顔を返し、聞こえないことはわかっているが、声に出して挨拶した。

「兄(あん)さん、ひさしぶりじゃね。変わりなかね」

正夫は大きくうなずいた。それから節子に向かって指を二本立てて差し出した。子ども二人のことを尋ねているのだ。

「元気じゃいよ」

大きく口を開けて言ってから、何度もうなずいて見せた。

美弥が縁側から上がってきたので、千代に紙と鉛筆を借りて、「スミコ　四」と大きく書いて見せ、美弥を指さした。正夫がうなずいた。

「美弥さんは鹿屋の看護学校を受けやるっち、ないごてそげん遠かとこへ行っきゃるんじゃね」千代が顔をのぞきこんで尋ねる。

「知り合いの大学病院の先生が療養所に勤めることになって、付属の看護学校に入ったらどうかと勧められたんです」

「んだも、大阪からわざわざ鹿屋にいっきゃる先生がおいやっとね」

「とっても、いい先生なんです。わたしは子どもの頃よく入院したから、看護婦は大事な仕事やと思ってました。先生から話があって、鹿児島は母の生まれたところだし、これも何かの縁かなと思いました」

美弥が母親のことを考えていたとは知らなかった。節子は黙って聞いていた。

「じゃっと。あんたのお母さんは若けときに、亡うなりやったもんじゃ。三十五か六じゃなかね。お祖父さんが嘆きやって、こっちに墓をこしらえやったのよ」

汽車の時間があるので、話を切り上げて二人で墓地に向かった。石柱がたくさん立つ中に、「野村喜右衛門　チカ」と彫ったのが見える。元気なうちに建てた墓で、両親の連名だ。父の字は赤が消されて、母のところは赤い。やがてこの赤も消されるのか。白い菊が挿してある。千代がしてくれたのだろう。帰りにいくらか包まなくてはならない。

墓の前にしゃがんで手を合わした。

——お父さん、遠くに住んでいたから何の親孝行もできなかったけど、お父さんの望むとおりに和田の後妻に行ったことが、親孝行だったのかな。こんなに早く逝ってしまうとは思わなかったから、見舞いにもこれなかった。

立ち上がって、後ろの墓を指さした。

「あんたのお母さんの墓は、そこよ」

美弥は「和田澄子之墓」の前に行って、曲がらないほうの足を前に伸ばしてしゃがんだ。節子は背中にちらっと眼をやると、通り過ぎて奥にある道夫の墓の前に行った。

道夫は脚気にかかって、漢口付近から熊本陸軍病院に運ばれ、昭和十三年の十一月に亡くなった。その少し前に、和田あてに鉛筆書きの軍事郵便をくれた。和田の後妻になった節子を案じた手紙は、今も大切にとってある。あれからもう十七年がたつ。凱旋、凱旋と何度も書いてあった。さぞかし帰りたかっただろうに、ぐらしか。

長いことしゃがんでいたと見えて、美弥がそばに来て手を合わせている。

鹿屋に行くには鹿児島から船で垂水に渡り、そこからまたバスに乗る。美弥をせかして墓地を出て、家に寄って納戸をのぞくと、母は眠っている。そのまま乗合自動車の乗り場まで送っていった。

「何かあったら、福子叔母さんに言いなさいよ。叔父さんもいい人よ」

車が入ってきた。

「体に気を付けなさいよ」

後ろから声をかけると、美弥が振り返ってから乗り込んだ。

家に戻って、納戸をのぞくと母が目を開けていた。

「おっ母はん、風呂に入れんから、体を拭くね」

声をかけておいて井戸端に行き、水を汲んで釜で沸かした。たらいに入れて、硬く絞ったタオルをそっと顔に広げた。

「ああ、よか気持(きも)っじゃ。極楽よ」

働き者の母が、人の世話になるなんて、むごい。

「おまんさぁ、雅彦と智恵美を連れてくればよかったが。戦後すぐに来たときゃ、智恵美は赤ん坊じゃったが、ここにおる間に歩くよになってよ。じいちゃんが懐に入れっせ、畑に行っきゃっきゃったもんじゃ」

母が子どものことをよく覚えていてくれた。胸がふわりと膨らむ。

「そうじゃったね。四月には五年生になるが、絵が上手でよく表彰されてるの」

湯をかえて、寝間着の胸をはだけて拭こうとして思わず手が止まった。やせていると思っていたが、あばら骨の浮いた胸に長いしなびた乳が袋みたいに垂れている。歳をとってもふっくらとしていたのに、こんなになってしまった。気を取り直して乳を持ち上げ、拭く。ふにゃふにゃとして柔らかくほんのり暖かい。八人の子どもに飲ませた乳だ。昔は、七人や八人の子どもがいるのは珍しくなかったから、そんなものだと思っていたが、八人を生んで育てるのがどれほど大変だったか、今になってわかる。海軍軍人の父と結婚し、軍港を転々として子どもを産み育てた。

次は横向きにさせて背中から尻にかけてぬぐう。しわだらけの皮膚が骨に張り付いている。少し前には、そばにおまるを置いて千代が支えて排便させていたが、今はほとんど食べられないから、なにも出ないという。あてがってある古浴衣の切れ端をはずして、前も後ろも、暖かいタオルを当てて拭いた。真ん中はとりわけそっとぬぐう。ここから子ども八人は生まれ出てきたのだ。

母はじっと目をつぶっている。拭き終わって寝間着を着せなおした。

それから千代を手伝って、井戸水を汲んで正夫の家の風呂に入れた。若い頃は平気だったが、水道の便利さに慣れた身に、水汲みはつらい。

夕食は正夫のところでよばれた。千代がお櫃のふたを取ると、白い飯が目に入った。節子のために、米の飯を炊いたのか、それともからいも飯はもう炊かないのか。おかずは節子の好物のカツオの腹皮を焼いてある。

「義姉さん、こん家も水道を引っきゃればよか。水汲みがだんだん苦しゅうなりやっと」

千代はちらっと正夫を見た。

「じゃっと、あたいも引きたかよ。町営水道ができちょるで。じゃっどん、金がなか」

ふーんとうなずいて、節子は口をつぐんだ。水道を引くにも、歯を直すにも金が必要だ。父が生きているうちは何かと援助をしていたが、それもなくなって、母が逝ってしまうと、この先どうなるのだろう。

夜は母の横に布団を敷いて寝た。母と二人で寝た記憶はないので、不思議な気がした。

翌朝、コンデンスミルクの薄めたのを母に飲ませた。時々むせたが、ほとんど飲んだ。

昼過ぎに福子がやって来て、ズボンにセーター姿の節子を見て目を丸くした。福子は着物に羽織を着ている。

「姉さん、そいはまた、ズボンじゃなかね」

「そうよ。あたしは戦後に着物を全部米と芋に代えて、なんもなかで。これは洋裁学校に行って自分で縫うたのよ」

福子はズボンを前から後ろから見回す。

「スカートはおいやるが、ズボンは見かけやせん。姉さんは背が高けで、似合うちょる」

母の様子を見に行ったが、眠っているので縁先に福子と並んで座った。隣の満開の桜の梢が垣根の向こうに見える。今年の桜はなんだか色が薄いように見える。

「あまり持たんやろうっち、医者が言たそうじゃ」

福子が声をひそめた。

覚悟をしなくてはいけないのだろうか。

「お父さんより、十歳も若けのにな」

福子はため息をついた。

「喧嘩ばっかいしっちょった夫婦が、なんも続けざまに……」

言いかけて福子は言葉に詰まる。

そうだった。節子が家にいた頃、両親はけんかばかりしていた。それが嫌で、家を離れたい気持ちがあったから、後妻の話を承知したのかもしれない。

「悋気（じんき）げんかばっかじゃった。お父さんと義姉さんが怪しか、いっつも語っちょるっち言うて、おっ母はんがせめちょったが。おっ母はんはお父さんのこと、好いっちょったとやろうかいね。あたいなんぞ、婿どんにやきもち焼くっち、そげなこっはするごちゃなか」

そう言って福子はくすっと笑った。節子もつられて笑った。和田に焼きもちを焼いたことがあるだろうか。和田は節子が子どもばかりかわいがると、不足を言うことがある。自分の子どもに焼きもちを焼いているのだろうか。

「良和さんはいけな具合じゃ」

福子の連れ合いの良和は節子と同い年で、子どもの頃は一緒に川で泳いだ仲だ。南方から復員し国鉄に職を得たが、その後に病気になって休職したと聞いていた。

「こん頃はやっと元気になりやった」

「そりゃよかった、戦地で無理しやったんじゃろねえ」

「余計な無理をさせられやったのよ」

「そいはまた、どういうこっね」

良和は召集されて南方のハルマヘラ島にいたが、昇進に際して上官が金を要求した。しかたなく手紙で親に頼んだが、無理だった。良和の下には弟が五人もいるのだ。それで不寝番を代わりに引き受けたりして金を作ったが、そのせいですっかり体を壊してしまった。

福子は眉を吊り上げてまくしたてる。十年たって思い出しても、腹立たしくてならないようだ。おとなしい良和がそんな目にあわされと聞き、節子もはらわたが煮えかえりそうだ。自分の懐を肥やすなんてひどい上官だ。

「腐りきっちょっと。そげなふうじゃから、戦争に負けたのよ」

思わず口をついて出た。

「じゃいよ。元気になりやったからよかったよなもんじゃが、あのままけ死みゃったら、あたいらはどげなこっになったや知れん」

「福子な、そけ来っちょるのは」

母の声がした。

「なんね、ばあちゃん。背中どもさすろうかね」

福子が納戸に入っていく。節子は縁側に残って、暮れ始めた空をながめた。うっすらとかすんで、灰色のような薄赤いような不思議な色だ。ゆっくり空を眺めるなんて何年ぶりだろう。家庭を離れて、一人、生まれ育った家の縁側に座っていると、四日市、武生、大阪で暮らしたことが夢のように思えてくる。

納戸に入り、福子と向い合わせに母の枕元に座わる。福子が高校三年生になる長女の就職を赤塚の叔父に頼んだと話す。

「そりゃよかったお。あんしは日銀に勤めっちょるで、銀行に顔が利っじゃろう」

母は頬を緩めてうなずいた。そして急に真顔になった。

「福子、おまんさぁ、婿どんが待っちょろうで早よ帰らんな」と急かす。

「よかよ、今晩は良和の親んところに泊まっで」

「ならよかと、お義父さん、お義母さんによろしうな」

母はいつまでたっても福子のことが心配なのだ。小さい頃、福子がくしゃみをすると、母は布団をもう一枚着せたものだ。加治木女学校に進学させ、父はよく寄宿舎まで会いに行った。

福子に比べると、ほったらかしにされて勝手に大きくなったようなものだ、と節子の頬に苦笑いが浮かんだ。大正三年に桜島が大噴火して強い地震に見舞われた時も、母は一歳の節子を残したまま、さっさと竹やぶに逃げこんだ。それで一回り年上の貴子が囲炉裏にかけて馬のすじを煮ていた鍋を下ろし、火に灰を被せ、節子を抱いて外に出た。何度も聞かされた話だ。

毎日母の体を拭き、お茶とコンデンスミルクを飲ませた。そしてほこりの目立つ座敷を掃いた。突っ込んである父の衣類を洗おうとしたが、やめておいた。洗っても着る父がいない。正夫がもらって着るのなら、千代が何とかするだろう。

今日は貴子がやって来る。小学校の先生をしているので日曜しか休めない。大阪を立つ前に日程を知らせると、日曜日までいるようにとのはがきが届き、一日延ばすことにした。朝、体を拭きながら「今日は、吉野から姉さんが来やっと」と知らせると、母は「んだも、わざわざ。学校が休みの日じゃっでゆっくいすればよか」とつぶやいた。

大柄の貴子が荒い縞模様の銘仙に羽織を重ね、大きな風呂敷包を抱えてやってきた。土間から上がると、節子に向かって「ご苦労じゃね」と言いながら、風呂敷を囲炉裏のそばに下して納戸に入った。そしていきなり枕元にペタリと正座して両手を畳についた。

「おっ母はん、ごぶさたしっちょります。いけな具合でごわはんか」

節子は笑いをかみ殺した。貴子が師範学校の寄宿舎に入っていたころも、休みに帰省すると、両親に向かって正座し「ただいま帰いもした」と挨拶し、手をついて深々とお辞儀をしていた。あれから何十年たっても、師範学校仕込みの礼儀作法を守っている。

母は目を開けて貴子を見て、うなずいてまた目をつぶる。

「姉さん、吉野からは遠かったじゃろう。いま茶でも入れっせ」

貴子は鹿児島市の中心から少し奥に入った吉野町に住んでいる。

貴子は、だんだん仕事がきつくなる、いつまで働けるか、などと話す。背筋を伸ばして正座した膝は、肉付きよく盛り上がっている。

「姉さんは丈夫じゃって、心配なかよ」

節子は太鼓判を押す。そのうち母が目をつぶったので座敷に移った。

「ずっとおっ母はんの世話でどこにも行けんやろうから、見繕うて買うてきたが」

貴子は囲炉裏のそばに座り、風呂敷をほどいて中のものを拡げた。鰹節、黒砂糖、げたんは、いこもち、ボンタン飴が出てきた。

「んだも、こげん、ずば。あいがとね」

「よかよ、久しぶいじゃって。大阪じゃ手に入らんじゃろう」

囲炉裏から鉄瓶を下ろし、茶を入れた。お茶うけに黒砂糖を一かけら添えて出すと、貴子が湯飲みを手に、息子の近況を話して顔をほころばす。女手一つで育てたから、うれしさはひとしおだろう。

「ところで、おまんさぁの子どんはいくつになりやったね」

「四月には雅彦が中学三年生、智恵美が小学校五年生になるのよ」

「んだも、もうそげになるかね。まぁだ小さいっち思うちょったが。一度会うごたる」

それから急に口調が変わった。

「美弥が鹿屋の星塚看護学校を受けるっち、ないごてそげなとこにわざわざ行っきゃるね。和田さんも止めやらんじゃったと。珍しもんじゃ」

目じりが吊り上がって険しい顔だ。

「美弥も二十四歳で、もう子どもじゃなか。本人が行くっち言うんじゃから止められやせんよ。手に職をつけるのはよかこっじゃっち、和田は言うたよ」

和田の言葉を口にすると、貴子の表情がすこし和らいだ。節子が追い出したのではない、本人の希望だということを、知っておいてもらいたい。

「まあ、嫁に行くのは難しこっじゃろから、手に職をつけるのはよかが、なんもあげなとこに行かんでも、看護学校なら大阪にもあろうもんを」

まだ納得がいかないようだ。

「大学の研究所で親しうしちょった先生が、勧めやったのよ。先生もそこへ行っきゃるし。先生の奥さんとも友達よ。それに今じゃあ薬ができて、病気が治るっち、言うが」

貴子は疑わしいという顔を節子に向ける。

話が一段落すると、納戸に行き、貴子に母を支えておいてもらって、茶を飲ました。三口ほど飲んで、むせてせき込むと貴子が背中をさする。だんだんと飲む量が減って、やがて何も喉を通らなくなるのだろうか。

貴子はしばらく枕元に座って、親戚の消息を話題にしていたが、また母に丁寧な挨拶をして帰って行った。それから節子は身支度をおえ、まとめてあった荷物を戸口に出し、納戸に入った。母は起きていた。

「おっ母はん。あたや、今晩の夜行で大阪に帰ってよ。大事にしっくれんね」

母が首を伸ばして節子を見た。

「ご苦労じゃったね、おまんさぁも無理せんで、ゆっくいせにゃ。和田さんによろしう言てくれんね」

貴子のくれた土産は鞄に入りきらず、風呂敷のまま手に持った。土間におりて母の下駄を手に取って隅に立てかけた。歯がちびて薄べったい下駄。もうこれが減ることはない。見送りにきた千代に、三千円を半紙に包んで手渡した。

「おっ母はんのこっ、よろしく頼みもす」

頭を下げて、乗合自動車の待合所に向かった。

夜行列車の寝台に横になっても寝付けないまま、目をつぶっていると、胸の中に母の言葉が広がる。

——節子はきついで、こらえてくれんね。

きついことぐらい言われなくても、わかっている。でも、なぜあんなことを言ったのだろう。美弥の境遇を不憫に思い、慰めるために言ったのか。それならそれで、他に言いようがあるだろう。後妻なんてつまらないと、つくづく思った。

貴子も福子も子どものことに心を砕いて日を送っている。節子も雅彦と智恵美のことになると夢中になって、我を忘れる。病気をした時などはなおさらだ。和田があまり無関心なので腹が立ち、「あなたは子どもが心配じゃないんですか」と、食ってかかったこともある。

雅彦がいたずらばかりして、近所から苦情が持ち込まれたときは、心底腹が立って叱り飛ばした。だが、そんな激しい感情が、美弥たちには湧かない。期待していないからだ。それを美弥が物足りないと感じても、どうしようもない。もう考えるのはやめよう。四人は大きな病気もせず、一人も欠けることなく大人になったのだ。

こんなに長く子どもたちと離れるのは初めてだ。じっと横になっていると、二人が小さかった頃のことが次々に浮かんでくる。

雅彦は日が暮れるまで外にいて、蟬取りや昆虫採集に夢中だった。昆虫の標本をきれいに整理して菓子箱に並べていた。細かいことを根気よくする子だ。

五年生からボーイソプラノのメンバーに選ばれて、家でも練習をしていた。

わらべは見たり　野中のばら

高く澄んだ声に聞きほれ、思わず洗濯物をたたむ手が止まった。わが子ながらいい声だ。最近は切手収集に凝って、外国の人と文通して切手を交換している。それには英語で書くのに、学校の英語の点数はよくない。

「英語は辞書を引いて単語帳を作って覚えないかんのや」

和田は茶の間に雅彦を読んで説教したが、ふくれっ面であまり聞いていない。雅彦に勉強しろというのを聞いているから、智恵美は何も言わなくても勉強する。よく病気をしたが、大きくなるにつれて丈夫になった。四年生から身長が急に伸びて、クラスの真ん中あたりになった。きっとアメリカのチーズを食べたからだ。雅彦も食べればいいのに「臭い」と言って見向きもしなかった。

「無理に食べささんでもええやないか」と言う和田に腹が立った。

担任の若い女の先生は熱心で、いいところを見つけて伸ばしてくれる。参観日に行くと、智恵美の絵が、金賞の札をつけて廊下に張り出されていた。庭の松の木を描いた絵だった。和田も、持って帰った絵を額に入れて茶の間に飾って喜んでいた。

言葉を覚え始めたころ、雅彦をまねて「ぼく」と言ったのが、今も続いている。

「女の子がぼくなんて言うの、ほっといたらダメよ、ママ。早く直さないと。ほんとに男みたいな女の子になったらどうするのよ」

高校生の美弥が、眉をひそめて注意したが、節子は笑って取り合わなかった。男みたいな女の子もいいかもしれない。男女同権という言葉を初めて知った。

「女(おなご)らしくしろ」「女のくせに……」「女がそんなことして」「お前は女じゃって」子ども

のころからずっと言われてきたが、女らしくしても、いいことは何もない。

「母ちゃん、智恵美が松の木に登ってる！」

庭から叫ぶ雅彦の声に、縁側に出てみると、てっぺんの枝を片手でつかんでもう片方の手を振っていた。「まあ、そんな高いとこにのぼって」と言って、笑ってしまった。体が弱いより、元気でお転婆の方がいい。


家に帰ると、たまっていたシーツや布団カバーの洗濯に取り掛かった。電気洗濯機は、一度にたくさん洗えて本当に便利だ。

ひと月ほど前の昼過ぎ、近所の電気屋がいきなり洗濯機を家に届けてきた。

「なんですの」不審顔の節子に向かって、電気屋はペラペラしゃべる。

「お宅のご主人が注文しはったんですわ。どこへ置きまひょ。ああ、ここがよろしな。洗面所から水引いて、コンセントもありまんがな」

さっさと荷解きをし、洗面所の隅に据え付けて帰っていった。ローラーの絞り機も付いている。頼みもしないのに和田が洗濯機を買うなんて、どうしたのだろう。節子は真っ白な洗濯機をそっと撫で、ふたを開けて中をのぞいた。

「あんたは洗濯をようする人やから、いるやろうとおもてな」

夕方帰ってきた和田はそう言って、節子を見て笑った。

「洗濯機がほしかったのよ。シーツなんかもいっぺんに洗えるし、助かるわぁ」

今日も水道の蛇口にホースを差し込み、排水のホースを風呂場の床に垂らし、スイッチを押す。洗濯物の量が多いので、石鹸を多めに放り込んで、盛り上がった白い泡の中にシーツを入れる。ゴトンゴトンと回る音を聞きながら、考えるのは母のことだ。

鹿児島では福子が時間を見つけて母の見舞いに行き、手紙で様子を知らせてくれる。日に日に喉の通りが悪くなる。今後痛みがひどくなるようなら、薬を処方すると医者が言ったという。

福子のように近くに住んでいると簡単に見舞いに行けるのだが、大阪にいたのではそうはいかない。この前帰った時、福子に「おまんさぁは親のそばにおれてよかよなぁ」と言ったら、福子はしばらく考え込んでいた。

「なぁ、姉さん。あたや思うんじゃが。蒲生の人はだいたいが蒲生の人と結婚すっじゃろ。じゃっどん、うちは正夫兄さんの耳が聞こえんよ。赤ん坊の時の中耳炎がもとじゃっち言うても、誰もそげなふうには思わんのよ。そいで、そげな子どんが生まれやせんかっち思うて、蒲生の人から縁談が来んやったのよ。そいでん兄さんや姉さんたちにそげな子どんが生まれんやったで、末のあたいが蒲生の人と結婚するこっになったんじゃろう」

思いがけない話で、しばらく飲み込めなかった。しかし言われてみると、その通りだ。男、男、女、女、それからまた男、男、女、女ときょうだいが八人いるが、福子のほか全員が蒲生以外の人と結婚している。地元で暮らす福子が言うのだから本当なのだろう。耳の聞こえない子のいる家。そんな目で見られていたのだ。

この前、福子からもらった手紙には、母は水がほんの少し飲めるだけだとあった。苦しいだろうに。家事をしながらも、電報が来はしないかと、耳をそばだてている。

六月に入って恐れていた電報が来てしまった。

「六ヒアサ、ハハシス　フクコ」

とうとう母は逝ってしまった。やせてしわだらけの体を拭いてやったら、目をつぶったまま「よか気持(きも)っじゃ」とつぶやいた。思い出すと不憫でならなかった。

父も母も相次いで亡くなってしまった。糸が切れたようでこころもとない感じにおそわれる。もっと親にしてやれればよかったのに、金がなくて何もできなかった。却って貧乏な親からしてもらうばかりだった。戦後の一年半、和田が働かなかったせいだ。食うに困る暮らしをさせてと、胸の奥から悔しさがこみあげる。

ジョージが除隊し家に来なくなって一年がたつ。鞠子はもうダンスパーティーにも行かず、ドレスも買わない。新しいボーイフレンドも来ない。ピーエックスでマヨネーズを買ってと頼むと、手に入れて後から代金を払うのは今までと同じだ。

ジョージとはあんなに親しくしていたのに、さびしがるそぶりも見せない。除隊までの付き合いと割り切っていたのか、ずいぶんあっさりしたものだ。だが、気持ちを表に出さないから、本当はどう思っているかはわからない。

やがて、英文速記と英文タイプを習いに夜間の専門学校に通い始めた。将来を考えたのだろう。遅くに帰って夕食をとるとすぐに部屋にこもり、中からパチンパチンとタイプライターをうつ音がきこえてくる。「部屋に行きなさんな」と言っても、智恵美は入っていき、相手にされないのですぐに出てくる。

鞠子は二年間通って資格を取ると、ピーエックスを辞めて外資系の染料会社に就職した。それを機に、隣の石橋駅そばの新築アパートに越していった。智恵美を連れて訪ねると、二面にある窓から光の差し込む明るい部屋を、ベッドが占領している。

「鞠ちゃん、すごいのを買ったね」

節子は初めて見るベッドに目を見張った。

「そうなのよ、いいでしょ。管理人のおばさんたらね、用事もないのに、なんだかんだ言って見に来るの」

鞠子が笑い声をあげる。自分で稼いでほしい物を買う。仕事を持てばそんな暮らしができる。節子はいいなあと思った。

美弥に続いて鞠子が家を出ていき、和田と節子、雅彦と智恵美の四人家族になった。家の中は広々として妙に静かだ。


節子は夏が過ぎる頃から朝起きるとめまいがして、みぞおちのあたりが痛くなった。食欲がまるでないし、吐き気がする。洗面所で吐こうとするが何も出てこないで、冷汗がにじむ。少し食べると痛みは治まるが、あまり食べられない。はたきをかけて箒で掃くだけで動悸がする。自分の体なのに自分のものではないようだ。肋膜炎がぶり返したのだろうか。

内科に行きレントゲンを撮ってもらうと、肺にも肋膜にも異常はなかった。胃の薬をもらって飲むが、もたれも吐き気も治らない。三カ月たつ頃には、もともとやせていたのが一層ひどくなった。

和田が帰宅して、布団に寝ている節子をのぞきこんだ。

「まだ治らんのか。医者はどない言うてんねん」

「胃に潰瘍ができてるかもしれんって、言うんです」

「えらいことやないか。あんまりしんどいようやったら、手伝いの人を頼んだらええ」

それで八百屋の主人に紹介してもらい、週に二回午後に、手伝いの人に来てもらうことになった。黒田は節子より少し年上で、連れ合いは左官屋だそうだ。気さくでよく体の動く人だが、どうも仕事が荒い。はたきをかける時も、障子紙が破れるのではないかと思うほど、バタバタと音がする。

「骨董品が飾ってあるから、気を付けてくださいね」

「はい」と返事はいいが、荒っぽいのは収まらない。

昼間に布団を敷いて、静まりかえった家の中で横になっていると、気持ちが沈む。いったいなんのために生きているのか、つまらない人生だ。このまま死んでしまうのではないだろうか、そうなったら子どもたちはどうなるのか。考えないでおこうとしても、不安が霧のように広がる。

起き上がって墨をすり、半紙に小さな字で書いた。

「雅彦　冬の下着」「雅彦　夏の下着」「智恵美　冬の下着」「智恵美　夏の下着」

それを切って、箪笥の引き出しに糊で張り付けた。

智恵美が学校から帰るのを待って座敷に呼び、箪笥を指さして教える。

「引き出しに何が入ってるか書いておいたからね、わたしがいなくなってもわかるでしょ」

すると、智恵美はおびえた顔で返事もせずに後ずさりして、部屋を出て行った。

夕方和田が帰ってきて、箪笥に目を止めため息をついた。

「そんなに悪いんか」

和田の声が上から降ってきた。

「寝てても目が回って、沈んでいくのよ」

節子の声が畳の上を這っていく。

もう一度ため息をついて、和田が着替え始めたのを、節子は横になったまま見ていた。

薬が切れたので医院にもらいに行くと、医者はいつものようにベッドに横にならせた。しばらく胃の周りを押して診察してから、机の前に戻り、カルテに目をやりながら尋ねた。

「生理はありますか」

変なことを聞く医者だ。しぶしぶ答える。

「一年ほど前からとびとびになって、ここ三月ほどはありませんけれど」

「じゃぁ閉経でしょうね。調子が悪いのは更年期障害のせいもあるんでしょう」

更年期障害で肩こりやめまい、気分の落ち込み、胃痛、動悸などが何年も続くこともある、柔らかいものを食べ、嫌なことをため込まないようにしなくてはいけないと言う。

節子は医者の言葉に打ちのめされた。生理が不順だったが、閉経なんて考えもしなかった。まだ四十五歳なのに、早すぎる。二度目の中絶手術の時に、医者に言われた言葉が頭に浮かぶ。

――こんなことを繰り返していては、体を壊しますよ。

気持ちがいっそう沈んで、胃のあたりに鈍い痛みが広がる。

早めに食事の支度をして、夕方六時に子どもたちに食べさせた。和田が帰宅し夕食をとりながら晩酌をする頃には、子どもたちはそれぞれの部屋に引き上げている。二人きりになると、節子は和田に言いたいことをぶちまけた。もう誰にも遠慮することはない。

「あなたが戦後お金の苦労させたから、わたしは体を壊してしまったんですよ。あのときなんで自分から会社を辞めたんです。残っていたら、財閥なんだからどこかに世話してくれたはずよ。自分勝手なことして、家族のことなんか考えてないんだから」

言い出すと、止まらなくなった。胸の底から、たまっていたものが噴き上がってくる。

和田は渋い顔をして杯を置いた。

「仕方がなかったんやないか」

「なにも自分から辞めなくてもいいでしょう。クビになったのなら仕方がないけど。しかもその後一年半も遊んでて。食べるものにもこと欠いたじゃないの。それなのにあなたは壺や皿ばっかり大事にして」

和田が向き直り、声が大きくなった。

「なんで今さら昔のことを言いだすねん。だいたい、お前は世間常識がないんや。俺の上役の奥さんが反物をくれたときかって、お前はろくに礼も言わんかったやないか。えらい恥かいたんやぞ」

「今の話に何の関係があるんですか、着物のことが。話をそらさないでよ。それにね、あんな粗末な着物をもらってびっくりしたぐらいで、お礼の言葉なんか出なかったわ」

「ああ言えばこう言う。一回ぐらい、はい、言うたらどうや。いちいち言い返して」

いま和田の頭の中には、従順でいつも「はい」としか言わなかった澄子がいるのだ。亡くなって二十年たっても、和田のこころの中で生き続けている。まるで三人で結婚を続けているようではないか。「わたしはわたし」と思う。

毎晩同じことで言い争いを繰り返した。自分でも嫌になる。どうにかならないものか。考えあぐねていたら、澄子の嫁入り道具の和箪笥が目に入った。

「和箪笥を買い替えますね」

晩酌をする和田に、さりげなく言った。和田が顔をあげた。

「なんでや、まだ使えるのと違うんか」

「着物用なので、底が浅くて使いにくいんですよ。着物は売って一枚も残ってないし」

和田はそれ以上言わない。言えばまた、戦後の貧乏を持ち出されると思うからだろう。

駅前の商店街の家具屋で濃い茶色の箪笥を買った。上等ではないが、座敷に据えられた真新しい箪笥を見ると、自分でも思いがけないほど胸がすいた。

黒田が掃除をしに二階に上がっていき、窓を開ける音がした。その間に節子は夕食の下ごしらえに取り掛かった。何をするにもしんどくて時間がかかるのだ。まずホウレンソウを洗う。

すると階段を駆け下りる音がして、黒田が顔を引きつらせて台所に入ってきた。

「奥さん、申し訳ありません。えらいことしてしもて。すんません」

割ぽう着の前で手を絞っている。

「一体、どうしたの」

「床の間の屏風をたたんで壁に立てかけて置いてましたら、風で倒れて、皿が……」

そこまで言って顔をゆがめて泣きそうになった。節子は急いで二階に上がり、床の間を見て立ちすくんだ。青磁の杯台が割れて転がっている。

膝をついてかけらを手に取った。刃物で切り取ったような三角形をしている。屏風の角が当たったのだ。どうしよう、大変なことになった。ふるえが来る。かけらのそばに転がっている杯は無事だ。

和田の言葉が頭をよぎる。

――これは台つきの高麗青磁の杯で、持っている中で一番高価なものや。

和田がなんと言うだろう。ひどく嘆いて、怒るに違いない。かけらをはめると、ぴったりと付いて、割れているとは見えないが、手を離すと二つに分かれる。節子はもう一度はめてみた。そんなことをしてみても、元に戻るわけがないことは分かっているが、せずにいられない。

黒田は何度も頭を下げて謝る。「ご主人に会ってお詫びしたい」と言うので、「そんなこといいですよ、和田にはわたしから話しますから」と断って、引き取ってもらった。割れた杯台を隅に寄せておき、和田の帰りを待った。

玄関に和田の声がして、節子は迎えに出た。着替えをする後ろから、「実はね、今日、掃除のときに」と切り出した。和田はびくっとなって振り向き、「なんやて、なにが割れたんやて」と聞き返した。それで、黒田が掃除のとき、たたんで立てかけておいた屏風が風で倒れて、青磁の杯台が割れた、と繰り返した。

「高麗青磁の、杯台が、割れたんか！」

和田が叫んだ。帯を巻くのももどかしい様子で、急いで階段を上がっていく。節子は後からついて行った。和田が杯台とかけらを手に持って見つめ、うめき声を漏らす。

「ああ……、なんちゅうこと……」

かけらを手にしたまま立ちすくんでいる。節子は足音をしのばせて階段を下りた。

晩酌をする和田に、黒田が大変申し訳ないと謝っていたと話す。

「しようと思てしたわけやないんやから、事故や。仕方のないことや」

なじるようなことを言わないし、愚痴も言わない。ただ深いため息をつくばかりなので、気の毒になった。よほどこたえているのだろう。

仕事の日になって、黒田がやってきた。

「申し訳ないことをしてしもて、お詫びのしようもあらしません。間に合いませんよってに、辞めさせていただきます」

玄関のたたきに立ったまま頭を下げて、上がろうとしない。あんなことがあった後ではやりにくいだろうと思い、承知した。

それっきり、和田は割れた杯のことを口にしなかったが、半年ほどたって晩酌をしていた時だ。

「もう、青磁はええわ。割れたら、おしまいや。あっけないもんや。あれから、持っていたいっちゅう気持ちが、すっかりなくなってしもた、この際全部売ることにしたわ」

驚いて顔を見ると、さばさばして見えるので、節子の方がうろたえた。あれほど好きだったのに、いや、好きを通り越して、青磁がいのち、というふうだった。敗戦直後にいくらかでも売って金に換え、食べものを買いたいとどれほど願ったことか。暮らしが落ち着いた今になって、売ることになるとは皮肉なものだ。

「いいんですか、ほんとに全部売ってしまっても」

「ええんや。売るからには全部や。来週の日曜日に、李青舎の主人を呼んで値をつけさせることにした」

李青舎は和田が売り買いをする青磁専門の業者だ。

「せっかくだから、一つくらい手元に残しておいたらどうです」

「珍しいこと言うやないか。まあ、それもそうやな。一つ残しとこか」

和田は花模様の、丸くて小さい青磁の香合を選んだ。象嵌と言って、花のところだけ成分の異なる土をはめ込んで焼くので、模様になっている、と和田が説明する。

日曜日の朝、和田は二階から何度も行き来して、木箱を応接間に運び入れた。二段重ねにして足の踏み場もない。節子は、よくまあこれだけ集めたものだと改めて感心した。午後に李青舎の主人がやってきて、二人で長い間応接間にこもっていた。

その金で株を買うと言って、証券会社に勤める早苗の連れ合いに連絡を取った。購入手続きが済んで、株券が書留郵便で家に届いた。和田が帰宅し封筒を開けて株券を見せる。

「配当もあるし、株主優待もある。電鉄会社には優待パスがあるから、通勤定期を買わんでええ。これは毛織物の会社で、純毛の毛布が安く買えるんや」

「それはいいわ。あなたが今使ってる毛布は擦り切れてしまって、買い替えたいと思ってたところよ」

節子は食卓の向こうから、株券を見た。

「今度優待販売の案内が来たら、申し込むわ。将来まとまった金が必要になったら、いる分だけ売ったらええんや。まあ、わしがいつ死んでも、おまえはこれで暮らしていける」

和田がふふと笑った。

「なんですか、死ぬ話なんかして」

節子は眉をしかめた。紙切れを見せられて、これで暮らしていけると言われても実感がわかない。目の前に札束を積まれたら、ピンと来るかもしれない。冗談めかしているが、十七歳年上だけあって、和田は先のことを考えている。

節子の体調は相変わらずで、寝込むほどではないが、気持ちがふさいでどうしようもない時がある。畑をいじっていると気はまぎれるが、そのぶん疲れて具合が悪くなる。

夏野菜の植え付けの準備をする時期が近づいている。だれか手伝ってくれる人がいないかと考えているうちに、高田のことを思いついた。久しぶりに山井への坂を上った。道の両側は椿が枝を広げている。

高田の家の門を抜けて玄関で声を掛けた。返事がないので、裏に回ると、物置小屋の前で高田が藁束をほどいている。声をかけると、高田が顔を上げ「ああ、あんたかいな、久しぶりやなあ」と明るい声で言った。

「やせたんとちがうか。どっか悪いんか」

腰を伸ばして立ち上がり、心配そうにのぞき込む。

「更年期障害って言われてね」

「えらい早いなあ。うちと年は変わらんのに」

「そうなんよ。戦後、無理したからね」

和田が会社を辞めて働かず、食べるのに困り、芋つるを求めて高田の家にたどり着いた。そんないきさつを冗談めかして話した。

「ほんなら、主人は戦争に行かんかったんか」

高田が真顔になって節子を見つめた。

「そう、行かなかった。五十歳に近かったからね」

「そうかいな。年が離れてるんやな。それにしても、自分から会社をやめたやて、ええご身分やな」

高田の口調にドキリとなった。皮肉を言っている。でも、なぜ。高田は横を向いてほかのことを考えているようだったが、「うちの亭主はな……」と、切り出した。

戦争が終わっても、なかなか復員してこなかった。毎日、ラジオの「復員だより」に耳を傾けていた。でも、今度の船にも乗っていないと、落胆し続けるうちに、死んだのではないかと、思うようになった。舅が元気で百姓をしていたから、暮らすことはできたけれど、心の中は真っ暗だった。

ところが二十一年の秋の「復員だより」で、帰ってくることがわかった。うれしくてうれしくて今日か明日かと待っていた。でも門口に立った姿を見てもすぐにはわからなかった。やつれて、老人みたいだった。しばらく家でぶらぶらしてたら、やっと働けるようになった。

それから急に声を落とした。

「軍隊いうのは、恐ろしいとこや。戦地で命をとられるのはもちろん怖いけど、戦地に行かんでも、人間をとられるんやから」

　道夫も戦地で命をとられた。しかし人間をとられるってどういうことか。節子は高田の顔を見つめた。高田は言葉を継いだ。

「連隊に入ってしばらくして、身元が知られたんや。ここから少し離れたとこに住んでる、池田の人が同じ隊にいてた。それから、嫌がらせが始まった。陰口、物を隠す、それまで普通に口をきいてた人に話しかけたら、そっぽを向くんや。炊事当番の時なんか……」

　高田が言葉を詰まらせた。節子は「身元」が何を指すのかすぐにわかった。

「なんとひどいことを」「ひどいわ」「ひどすぎる」それしか言葉が出ない。

　二人とも黙ったままの時間が、とても長く感じられた。

「あんた、なんか用があったんやろ」

　高田が話を変えたので、節子はホッとした。

　畑を耕す人を紹介してほしいと頼むとき、いつもより言葉数が多くなっているのに気がついた。

　高田の話が胸に沈んでいく。節子の知らなかった世界。帰りは急ぎ足になった。

　三日後に、少し年配のがっしりした体格の人がきた。手早く畝を耕し肥料を入れてくれた。二日間できれいになった畝に、しばらくしてエンドウ豆をまいた。エンドウ豆が採れたら、豆ご飯にしよう。毎日見に行き、今か今かと芽が出るのを待つ。一月足らずで芽を出し、続いて細いつるが出てきた。伸びたところで、杭を立て、高田から分けてもらった藁を結わえて手にした。

それからは、毎日エンドウの様子を見に畑に出た。ツルが手に絡まり、丈がだいぶ高くなってきた。もうすぐ白い花が咲くだろう。

台所から入ろうとして、ハッと気がついた。木の芽を抜かなくてはならない。鳥が落とす糞の中の種が芽を出し、根付いてしまう。今でも木が多すぎるので見つけ次第に抜いているが、和田は残したい木のそばに割り箸を立てる。そうなると、抜くわけにいかない。和田に先を越された棕櫚が、膝の高さまで伸びてしまった。和田が庭に出るのは日曜日だから、今がチャンスだ。

しゃがんでじっと地面に目を凝らす。ネズミモチ、楠、南天、棕櫚、ケヤキを次々と抜く。中指の長さくらいの松が、閉じた葉のてっぺんに、茶色い殻をかぶって、ひょろりと立っている。先をちょっとつつくと、殻が弾けて細い葉がふわりと広がった。芽を出したばかりなのだ。庭の松の高さまで成長するには、七十年、八十年、もしかすると百年かかる。そう思ったら、抜けなかった。

シンデレラの母

おや、わたしは兄雅彦の死んだ日を忘れている。一九八八年の十一月、四十七歳の誕生日を迎えて間もない時だったことは覚えているが、日付は浮かんでこない。

その日、階下から鳴る電話の音で目を覚ました。時計を見ると五時を少し回っていた。電話は母からだ。今さっき、病院で付き添う兄の妻智子さんから、電話が入り、医者に家族を呼ぶように言われたのだ。

母とわたしと兄の家は同じ敷地内にあり、夫が車を出して母を乗せ病院に向かった。夜明け前の闇の中を車はライトをつけて走る。誰も口を利かない。二日前、病院に行った。モルヒネが投与され、少しもうろうとしているようなので、医者が病室から出たのを追って、モルヒネが多すぎませんか、と尋ねた。

医者はしばらく黙っていたが、思い切ったように答えた。

「もう、末期、本当に末期ですから……」

病気が見つかった時、すでに進行した胃ガンだったから、この時が来ることはわかっていたが、「末期」の言葉が通り過ぎていった。

病室に入ると、雅彦は酸素マスクをつけていた。医者がいる。智子さんがベッドにかがみこんでいる。二人の子ども、智子さんの母親、妹がすでに来ている。母がベッドに近づく。雅彦は懸命に息を吸って吐く。残った力のすべてを振り絞って、息をしている。

「雅彦」「あなた」

しだいに呼吸が間遠になり、そして息を吐いてそれっきり吸わない。息が止まった、本当に死んでしまった。医者が時刻を告げた。ベッドのそばの智子さんは「あなたぁ」と声を振り絞って泣き崩れた。母は涙をぬぐいながら立っている。気がつくと、わたしの頬が濡れていた。

母のそばについているべきか、それとも智子さんか、迷ったが、智子さんを抱き上げた。それから母を連れていったん家に帰った。

昼から、葬儀屋を入れて智子さんと段取りを決めた。式は雅彦の家ですることにした。雅彦夫婦は初めのうちは母と同居していたが、母と智子さんの折り合いが悪く、母の隣に雅彦が家を建てた。それからまだ十年もたっていない。

「お茶をどうしますか」

葬儀屋が聞く。通夜の客にお茶を出すのなら、係員を二人つけるという。無駄な出費は避けたい。

「いりません」

智子さんとわたしが同時にこたえた。段取りが決まってわたしが家に帰ると、そこへ年の離れた長兄の武史がやって来た。今朝、母が武史の家に電話を入れたときは、いつもの日曜ゴルフにでかけたあとだった。おりかえし義姉から電話があった。ゴルフ場に電話をしたが、すでにコースに出たあとで連絡がつかない、あとから行くとのことだった。

来るなり武史が大きな声を張り上げた。

「どないなっとんねん」

「どないもなってないわ」

反射的に言葉が飛び出す。最期は痛がっていなかったかとか、まだ若いのになあとか、ほかに言う言葉はないのだろうか。それに喪主は智子さんだ。

「お茶を出すんか」

武史の声がいくらか収まる。出さないと言うと、また大声。

みみっちい段取りをして！　来てくれる人のことを考えないかんやろう！　通夜に茶も出さんのか！

葬式は来てくれる人のためにするのではない、残された遺族のためだ、と思って黙っていた。

「参列者が少なかったらいかんやろう、会社の者に声をかけようか、俺の弟や言うたらようけ来るやろう、香典も集まる」

やっと、おだやかな口調になった。それなりに心配していることはわかるが、知らない人にずかずか踏み込まれたくない。智子さんも望まないだろう。

「地味な研究職の雅ちゃんには似合わないよ」と断った。武史もそれ以上言わない。

それに葬儀屋が帰り際に、玄関で言った。

「ご主人が若くて亡くなられた場合は、香典返しはしないで、どこかに寄付してその旨を挨拶状に書いて送りはったらええんですわ」

武史と話をしているところへ、職場の友人が駆け付けてくれた。病院から家に帰ってすぐに、連絡を入れたのだ。

「たいへんなことになったねぇ」

心底案じる口調に、はじめて雅彦の死に実感がわいた。大変なことが起きたのだ。友人が母に挨拶をするというので、芝生を横切って母の家に行った。武史も一緒だ。茶の間に座って、友人が母に悔やみを言う。母は涙を見せないで応対している。一段落すると、武史がまたお茶のことを言いだした。

「やっぱりお茶ぐらい出さないかんやろう」

「お父さんの葬式の時はねぇ」と母が言い始めた。父の葬儀は十年以上前だ。

「お通夜に来た人が、次から次へと便所に行ったのよ。なんであんなに便所に行くのかねえ。ひっきりなしやった」

何かと思えば、便所の話。

「別にいいやんか。便所ぐらい行っても」

ところが母はまだ続ける。

「それでもねえ、あんなに便所に行かんでもよかりそうなものよ」

便所が汚れることが嫌だったのか。建築関係の仕事をしていた父が、自家用の浄化槽を作らせて、水洗便所に改築してあった。

「そやから、お茶なんか出したら、もっと便所に行くやないの」

武史が苦笑いをして立ち上がった。

「ほんならすんませんが、ちょっと便所を使わしてもらいますで」

がらっと口調を変えて冗談めかして言うと、母がふっと笑った。


通夜になった。庭から部屋の中の祭壇に向かって、参列者が次々と焼香する。庭に並んだパイプ椅子に座ってその情景を見ていた。雅彦より年上の人ばかりだ。八十歳を超える親戚が身をかがめて母に悔やみを述べている。母は言葉少なく挨拶を受けている。

今年の二月、智子さんが母のところにやってきて、昨夜、夕食の後で、雅彦が洗面器に何杯も吐き、水を飲んでも吐いた、と知らせたのだ。突然のことに母はどれほど驚き、不安に駆られたことだろう。

「一緒に暮らしていて、どうして気がつかなかったのよぉ。子どもにかまけてばっかりいるからよ」母は智子さんをなじる言葉をわたしにぶつけた。

自分が同居していれば、こんなことにはならなかったと思うのだ。やり場のない気持ちが、折り合いのよくない智子さんに向かっている。母はそう言うけれど、わたしだって、夫が病気になってもいよいよ悪くなるまで気がつかないに違いない。

「毎日一緒に暮らしているから、分からんのよ」

わたしの言葉に母は目を怒らせて黙った。また、智子さんの肩を持つと思っただろう。

入院し手術の日が決まると、母は医者に五十万円を渡すと言った。

「なんで、そんなことするんよ」わたしは驚いて尋ねた。

「美弥ちゃんが渡すように言うんよ。もし自分が病気になったら、借金してでもそうするって言うから」

母が目をそむけて答えた。看護婦をしている三姉の美弥が、東京から帰っていた。美弥が現場の病院勤務をしていたのは二十年も前のことだ。今は医者への付け届けの話など耳にしない。時代錯誤なことを言うものだ。しかも五十万円とは。わたしは止めた。

「医者に五十万円渡したら、ちゃんと手術をして、渡さんかったらいい加減なことをするの？　そんなわけないでしょ」

母の返事はなかった。もう決めてしまっているのだ。わたしは口をつぐんだ。そして母は五十万円を渡した。

また、美弥が東京から帰ってきた。見舞いに行くというので車に乗せて、病院に行った。ロビーで座っていると、通りかかった看護婦長が、美弥に声をかけた。

「お母さまはさぞかしご心配でしょうね」

「ええ、本当に、大事な息子ですからねぇ」美弥が小首をかしげて答えた。

「大事な」のところに、妙に感情のこもったその口調にハッとなった。じわじわと違和感が湧いてくる。母が雅彦を大事に思う気持ちに、美弥は距離を置いている。雅彦を思うほどには、自分のことを思っていない、と感じているのだ。兄姉四人を生んだ母親が亡くなり、その妹が後添えになって雅彦とわたしが生まれたことは子どもの頃から知っていた。けれども、美弥がこんな気持ちでいたと初めて知った。わたしはそういうまなざしに囲まれて大きくなったのだ。

美弥の顔と声が頭から離れない。椅子に張り付けられたようになって、立ち上がることができない。

翌日の葬式で、母と智子さん、小学校三年生の娘と一年生の息子が棺のそばに座った。子ども二人はすっかりおびえている。後ろに、智子さんの母親と妹たちとわたしの家族、兄と姉たちと連れ合い、親せきが座って僧侶の読経を聞いていた。亡くなったときから、あまり寝ていないので、頭がふわふわする。線香の煙が部屋の中に漂い流れていった。庭には、雅彦の子どもの同級生と親がおおぜい来ている。やはり武史の会社の人に来てもらわなくてよかった。まぶしいくらいの秋晴れで、庭のすみでつわぶきが金色の花を咲かせていた。

「あっ、蝶や」

声がして見あげると、天井近くを黒いアゲハ蝶がひらひらと舞っている。みんなの視線が蝶に集まる。いったん外に出たかと思うとまた舞い戻る。何度も出たり入ったりして、天井すれすれに大きく舞い、そして飛び去った。

雅彦の魂か。ちらっとそんな考えがかすめたが、すぐに否定した。

読経が終わり出棺になった。そのとき母が張り裂けるような声で呼んだ。

「まさひこぉ」

これまで一度も耳にしたことがない、悲痛な声だ。

火葬場まで行き、骨上げは翌日になるというので自宅に帰った。会席膳で昼食をとっているとき、友人が首をかしげて言った。

「あのお姉さんは、実に華やかに泣いていたね。あんなの見たことないわ。どういう人なのかねぇ」

東京からやってきた次姉鞠子は「喪服がないの」と言って、カバンから黒い光沢のある服を取り出した。拡げると、袖口や裾にたくさんフリルがついたロングドレスだ。定年退職後に始めた社交ダンスの発表会で着たものだという。だが友人は服装のことを言っているのではないようだ。

「適当な言葉が見つからないけどね、葬式という一大イベントを思う存分堪能しているとでも言ったらいいのかねぇ」

堪能の言葉が重く沈んでいく。鞠子のドレスを母はどう思ったのだろうか。

神戸まで帰る友人を見送り、普段着に着替えて母の家に行った。茶の間の襖を開けると、母の周りにいとこたちと兄姉が座っている。ふと、この人たちはすべて母の甥と姪だと気がついた。妹の子どもが三人、姉の子どもが四人。母は「ママ」と呼ばせて母親代わりをしていたが、血のつながりからすると、甥と姪だ。その場の空気がとてもなごやかなものに感じられ、入っていけない気がした。そのままふすまを閉めて、家に帰ろうとして縁側に出ると、母が茶の間から出てきた。

「ちょっと家に帰って、晩御飯の支度をしてくるわ」

そう言って振り返ると、母は何も耳に入らない様子で、ぼう然として遠くを見ている。

「わたしの大事な息子がいなくなってしまった。もっと気を付けてやればよかった」

なんて悲しい言葉。黙って母の顔を見ていた。

母はまた口を開いた。

「男の子を養子にもらおうかしら」

娘のわたしを前に、男の子を養子にしようなどと、言うのだ。

「好きにすれば」

そっけなく言って、わたしは沓脱石の上の履物に足を入れた。

「もう一人、生んでおけばよかった」

声が背後からおおいかぶさる。母が生活苦のために二度妊娠中絶をしたことは知っている。わたしはため息をついて、逃げるように自宅に帰った。母は取り乱しているのだ。落ち着いて、と自分に言い聞かす。

夕食の後、夫は茶の間で大の字になって眠っている。テレビを見ようとリビングに行きかけた長男が、立ち止まって振り返った。

「親より先に死んだらあかんな」

反抗期真っ最中の中学三年生が、珍しくおだやかな口調だ。わたしは、うんとうなずいた。

みんなが寝静まってから、茶の間にひとり座っていた。いろんなことがありすぎて眠れそうにない。母の言葉を思う。男の子を養子に。家制度が存在した時代に生まれた母にとって、息子は身を守る盾のようなものだ。息子を失って、足元が崩れるような不安に襲われたのだろうか。

美弥の言葉がきっかけになって、次々に思い出す。まるで閉じてあった記憶のふたが開いたようだ。

わたしの結婚が決まった時、鞠子からお祝いのカードが届いた。アメリカ式のカードが珍しく、さっそく封を切り、銀色のカードに書かれた達筆の字を読んだ。

「和田健次郎の娘に生まれて、大学を出て、結婚もするとは、おめでたい限りです。わたしなど、学歴のなさにひいひい言っています」

また、おかしなことを書いてきて、とわたしは笑った。鞠子はいつも突拍子もないことを言う。大学時代の友人が訪ねて来たとき笑いながら見せると、友人が目をむいた。

「なにこれ、ひどい嫌味じゃない！」

「嫌味」の言葉に、笑いが途中で止まった。友人は、笑っているわたしを、いぶかしく思ったようだ。お祝いカードにわざわざ嫌味を書く人がいるだろうか。そんなつもりはないのだろう。だが、書かれた言葉は確かに嫌味だ。

美弥にこの話をした。

「戦前に大学へ行く女の人なんて、よっぽど恵まれたうちの人だけよ。鞠ちゃんみたいに高等女学校の五年まで行く人だって、珍しかったくらいよ。それにね、結婚だっていくらでもできたのに、自分がしなかったんだから」

鞠子は美人で、その気になればいつでも結婚できたが、しなかった。それを棚上げにして身勝手なことを言うと、腹立たしくてならない様子だ。言外に、自分は片足が不自由で、結婚したくてもできなかったという思いがにじんでいる。たとえ美弥の言うことが真実でも、鞠子は、わたしを見て自分がひどく損をしたような気持ちになったに違いない。自分の手に入らなかったものを、十八歳下の妹が持っている。それを時代の変化と思わないのだ。

それから少したって、鞠子が、突然ふらりと家にやって来た。しばらくしゃべって、帰り際に本棚をながめて、ヘルマンヘッセの「車輪の下」を抜き出した。

「これ、貸してくれる。わたしはねぇ、若い時にこういう本を読むことができなかったの」

いつになくしんみりとした口調だった。鞠子が「車輪の下」を読むというのが、意外だったが「どうぞ、持って行って」と言って渡したことがある。

また、鞠子が四十代後半で、仕舞を習っていた頃、母が着物と羽織をこしらえた。「若い頃、着物を作ってやれなかったからね」と独り言を言いながら柄を見立てていた。東京から鞠子が来たとき、母は着物を手渡した。鞠子は「あら、ありがとう」と言っただけだった。そばにいて、あまりのそっけなさに胸を突かれた。さらに、母が庭に出て行くと吐き捨てるように言ったのだ。

「今頃、こんなものもらったって、うれしくもなんともないわ。若い時に何にもしてくれなくてさ」

くうをにらむ顔から、わたしは目をそらした。鞠子が十八歳のとき日本は戦争に負け、それからしばらく父は働かなかった。食べるにこと欠く暮らしで着物どころではなかったことは、よく承知しているはずだ。

継母なんてつまらない。つくづく損な役割だ。まま子いじめの典型は「シンデレラ」だ。継母は悪役で、いじめられるシンデレラの不幸は万人に同情される。では、継母が幸せかというと、そうではない。継母だって不幸なのだ。けれども、それは認められることはない。

母が、両方の羽にひなをしっかりと包み込んで、鋭い目でキッとあたりをにらんでいる鳥に思えた。そうやって育てたひな鳥を一羽失ったのだ。

四十九日の法要には、職場の同僚や親せきが集まり、武史などは娘と孫を連れて参加して、にぎやかになった。智子さんは「親戚を呼ぶ法事はこれっきりにします」と言った。それでいいと思った。

日曜日の午後、母の家に行ったとき、わたしはつい漏らしてしまった。

「あの人たちは、あまり悲しんでないんやわ」

「愛情がないからよ。本当のきょうだいじゃないから」

ため息交じりの答えが返った
母は涙を見せず、繰り言も言わず、それまでと変わりなく過ごしているように見えた。だが、一人になると涙を流しているのかもしれない。目に見える変化がひとつあった。小学校四年になるわたしの次男が遅くまで帰らないと、大通りに出て待つようになった。長男が家にいるときは「あんた、自転車でちょっとその辺を見てきて」と頼む。「その辺て、どこやねん」と尋ねても、「その辺やないの」と言うので、仕方なく自転車に乗って、その辺をぐるっと走って探すのだそうだ。わたしも夫も仕事が忙しく、明るいうちに帰宅することはめったにない。

夕食の材料を用意しておいて母に支度してもらい、一緒に食べる暮らしが続いたが、急に母の身長が縮んで背中が痛み出し、立ち仕事ができなくなった。それでわたしが帰宅してから料理をし、母がそれを食べるようになった。そのうち昼食の準備がままならなくなり、余分のおかずをこしらえて持たすようにした。

夕食後、片付けをしていると、後ろから母が声をかけた。

「なんでもいいから、死なんといてよ」

返事のしようがないので、苦笑した。そして心の中でつぶやいた。

おかあさん、なんでもいいことはありません。雅ちゃんが発病した春、わたしは強制異動で教師として教壇に立てなくなって、現場復帰を求めて裁判中です。なんとしても戻らなくてはならないのです。

ハンセン病の多摩全生園の看護部長をしている美弥が、定年まであと少しという時に、外科専門の国立療養所に異動になった。家に帰ってくると、母に園長の悪口を言っているようだった。そのうち「もうすぐ勲章がもらえるんやわ」と言うようになった。勲章をもらうのはもっと年を取った人だ、定年前にもらうなんてことがあるのだろうか。半信半疑だったが、春の叙勲でもらうことになったと、母に電話があった。

わたしにも弾んだ声で電話してきた。勲章の名前を聞いたが、覚えられない。気になることを聞いてみた。

「なんでそんなに早くもらうの」

「こういうところに勤めていると早いのよ」

そういうことなのか、と腑に落ちた。腑に落ちたが、その事実が重く胸にのしかかる。ハンセン病を強い感染力のある伝染病と認定し、かかれば終生隔離することを定めた「らい予防法」のせいだ。患者団体は撤廃に向けて運動を進めているが、法律はまだある。その法律に基づいて危険手当が職員に支給される。感染する危険を考慮して、給与を割り増しするものだ。同じ趣旨で早期の叙勲がある。感染の危険を顧みず、勤務した人々の苦労を天皇がねぎらうシステムだ。「おめでとう」の言葉が口の中でかたまる。

美弥はピンクのヘビーシルクの生地でワンピースを仕立て、鞠子を伴って皇居に行った、と母に報告してきた。それをわたしに伝える母に、感心したり喜んだりする様子はまったくない。おまけに「なんや、年金はついてないのか」と言う。母の父親が日清・日露戦争でもらった金鵄勲章には年金がついていた。それを学費の足しにして、男の子たちを東京の大学まで出したのだ。

その後、美弥が長姉の早苗に電話をして、母ときょうだいでお祝いの会をしてほしいと頼んできた。その会で、わたしはどんな顔をすればいいのだろう。とりあえずそんな計画があると母に知らせた。すると即座に「わたしは行かないよ」と言う。目が座っている。

「そう、なんで」

「そんな……雅彦だけがいないのを、見たくないわ」

くぐもった声だった。美弥の望む集まりは、母には雅彦の不在を見せつけられるものなのだ。母の手からすり抜けるようになくなった雅彦を、いつも思っている、と改めて気づいた。それで「お母さんもわたしも行かないよ」と早苗に電話で伝えると、会はなくなった。

美人の姉二人と秀才の兄の下の味噌っかすで、おまけに足のことで姉たちから邪険な扱いを受けてきた美弥が、自分を認めさせたい気持ちは想像できる。しかし、どうしようもないことだ。ところがその後、勤務先の院長が職場の人を集めて祝う会を催した。それを聞いて、随分と気が楽になった。

　美弥が帰ってきたとき母は祝い金を渡した。


　阪神淡路大震災で母の住む母屋が大きな被害を受け、二階の壁の四隅から光が漏れてくる。もうひと揺れしていたら、完全に崩れ落ちていただろう。応急修理を施したが、ここには住めないと母は訴える。解体して同じ場所に立て直すとなると、八十歳すぎの母が二回引っ越さねばならない。ではどうするか。庭をつぶして建てるしかないのか。しかし庭は子どもの頃、雅彦とわたしが遊んだ記憶の場所だ。小さな鈴のような花をつける満天星(どうだん)つつじ、久留米つつじ、白や紫の平戸つつじ、山吹にアジサイの花が咲き、松、イロハモミジ、椿が芝生を囲んでいる。そこでボール投げをし、木々の間をくぐりぬけ遊んだ時間はわたしの根っこだ。その後は、わたしと雅彦の子どもたちの遊び場になって、四人で芝生を転がりまわった。壊したくない、それでもそうするしか道はない。雅彦が生きていたら相談できるのだが、ひとりで決めるしかない。

　朝起きると、わたしが大きな声で寝言を言った、と夫が当惑した顔で知らせた。

「誰か助けて」と、叫んだらしい。よほど思案に暮れていたのだろう。寝言を言うくらいなら、と腹を決めすぐに実行に移した。建設会社に勤める武史には頼まないで、住宅メーカーに依頼した。わたしの家を建てる時は頼んだが、業者は武史の顔色ばかりうかがってこちらの思うようにできなかったのだ。

武史に電話して、庭をつぶして家を建てると知らせた。庭のことは気にならない風だった。

「八十過ぎた人に、家を建てるんか！」

電話の向こうで叫んだ。

「八十過ぎやから、建てるんでしょうが」

負けずに言い返した。鞠子と美弥には手紙で知らせた。「どうして庭をつぶすのよ！」と、電話でなじられたが「それしか方法がない」と答えた。鞠子と美弥は、結婚していない分、家への愛着が強いようだ。

その経過を見て智子さんがわたしに言った。

「お義母さんはお兄さんやお姉さんに、なにも言わはらへんね。智恵美さんは言うけど」

母が言いたいことを口にすれば、関係が難しくなる。

母の年齢を考えてバリアフリーの小さな家にした。雨戸は電動シャッターだ。父の遺した株を売り、足りない分は母の土地を担保にわたしの名義でローンを組んだ。

工事が始まる少し前、夕方仕事から帰宅すると、次男が凍り付いたような顔で待っていた。そしてわたしを見るなり一気に爆発した。

「なになん、あの人。ごめん下さいもいわんと、ガラッと開けて入ってきて、いきなり文句言いだして。庭をつぶして、どういうつもりやって」

鞠子のことだ。美弥と一緒にやってきたのだ。鞠子はめったに家に帰らなかったから、次男は子どもの頃にしか会ったことがない。

「僕だって、庭がなくなるのは嫌やけど、しょうがないやんか」

顔を引きつらせて言うと、しばらく黙っていた。が、どうにも気持ちが収まらないという様子で、叫んだ。

「あの人には、僕らはカビなんや。いや、母ちゃんがカビで、僕らはカビのカビなんや」

カビという言葉がぴったりだったのだろう。それを口にすると次男はようやく静まった。夫は「言いたい放題いうて、帰って行った」とひとこと言った。

随分前に鞠子が家に帰ったとき、昔通った小学校までの道をたどって散歩に行くと言うので、付き合ったことがある。橋を渡り、畑の中の道を通り、長屋門のある家の角を曲がる。道々、鞠子はよくしゃべった。

——小学校三年生まで、この家で過ごしたのよ。お父さんとお母ちゃんと、きょうだい四人と女中さんで。ほら、ここが同級生の家よ。あら、まだ漢方薬の店をやってるわ。ところが、お父さんの仕事が変わって、二学期から四日市に引っ越して、転校したの。でもその学校は上履きがなくてさ、足が砂でざらざらして、気持ちが悪いのよ。嫌で仕方がなかったけど、春休みになったら大阪に行ってもいいとお母ちゃんが言うから、その日を待ってたの。春休みになるとすぐに、お姉ちゃんと一緒に大阪まで行ったわ。宿は豊中の叔母さんの家に泊めてもらって。家に近づくと、ドキドキしてきた。ここがあたしの家。もう知らない人が住んでいたから、家の周りをぐるっと回って、垣根越しにのぞいて。それから天王寺に出てお土産に百貨店で洋菓子を買って、汽車に乗ったの。家に着いたら、お母ちゃんが寝てるんやもの……。

そこで急に言葉を切った。それからまもなく、鞠子の母は亡くなった。子ども時代の幸せな記憶はこの家にあり、時間がそこで止まっているように感じられた。

古い家はそのままにして、必要なものだけ運んで母は暮らし始めた。美弥が正月と、あと三、四回ほど来て泊まっていく。その時母は、わたしに車を運転させて上等のステーキ肉と魚と果物を買う。布団を干し、シーツ類を整え、何種類かの料理をこしらえる。日頃とはうって変わって、きびきびとした身のこなしである。そして美弥が帰った後は、シーツの洗濯と布団の始末をして、その後必ず二日ほど寝込む。

「もう年なんだから、ほどほどにしたら」

何度言っても、やめない。

「ママがいっぱいこしらえるけど、食べられへんのよ」美弥がわたしの耳元でささやいた。母に直接言えばいいのに。

ところが、母が玄関で転び大腿骨を骨折した。入院し手術、リハビリをへて、少しは歩けるようになったが、以前のようにはいかない。退院後は自宅で、ヘルパーの派遣を受けて過ごすようになった。ちょうどその四月から介護保険事業が始まり、昼食の配食、食後の見守りと入浴が頼めた。わたしは朝食と夕食の用意をし、薬を飲ませ目薬を入れ、寝る前に着替えさせる。朝おこしに行くと、排せつに失敗してベッドが汚れていることもある。母が救急搬送されたとの電話連絡が職場にはいる。土曜日と日曜日には、配食もヘルパーの派遣もない。

美弥が東京から一週間泊りがけで介護に来てくれるようになったので、その時は一息つけた。また帰宅時間を気にせず仕事ができた。

「あんたもやっと、料理ができるようになったね」と母は美弥に言って、世話になって心苦しいという様子はまったくない。美弥は寄宿舎暮らしが長かったので、自分で料理することがほとんどなかったのだ。

そんな生活を続けたが、三年を過ぎたとき、突然もうこれ以上無理だとわたしは思った。仕事を辞めることも頭をよぎったが、十一年に及ぶ公平委員会と裁判を経て勝訴し、職場復帰してやっと仕事の勘が戻ってきたところだ。なんとしても定年まであと三年続けたい。もし今やめたら、後で母を恨むようになるかもしれない。

それで、思いきって母に頼んだ。

「施設に入ってよ」

驚いた様子だったが、いいよと聞き入れてくれた。どれほどホッとしたことか。それで市内の老人保健施設に入れた。すると、早苗夫婦と子どもたち、武史夫婦、いとこたちが、家にいる時よりも足しげく見舞った。そんな中で、美弥が鞠子に「ママが骨折してから、一回も見舞いに行ってないでしょ。一回行きなさいよ」と言ったが、顔を出さなかった。わたしは鞠子が来ないことを気に留めていなかったが、その話を聞いて、心に引っかかりが生まれた。

それから三カ月ほどたって母は誤嚥性肺炎にかかり、老人病院に転院した。点滴で命をつないでいたが、点滴の入る血管がなくなり、後は時間の問題と知らされた。

長男が見舞いに来たことを告げると「声がしたから、分かってる」と返事があったが、目をつぶったままだった。その後に次男が来たら、力を振り絞るようにして目を開けて、じっと顔を見つめていた。病状を聞いて、長男はカーテンの陰に隠れてすすり泣いた。次男は薄暗い階段に座って、嗚咽を漏らしていた。

「もう、ええ」の言葉を残して母は逝った。臨終に立ち会ったのは夫とわたしと次男だった。九十歳になる二週間ほど前だった。

わたしは喪主をするつもりだったが、いちおう武史に声をかけた。

「兄ちゃんが、葬式をやってよ」

「いやぁ、お前がせえよ」

それで家族葬に決め、香典をもらわなかった。

正月の三日なので、外に樒を出さないでくれと会館の職員に言われ、業者が祭壇の花を増やした。白や紫、ピンクの花を見て、美弥が「まあ、きれいね」と喜んだ。

葬式の後の食事がすんだとき、武史がそばに来て座った。

「お前のお母さんは変わってるぞ。自分の兄さんの葬式に行かんと、代わりに俺に行ってくれというんやから」

母の三番目の兄が死んだときのことだ。

「あれはねえ、けんかしたの」

「なんでや」

雅彦が結婚して間もなくは同居していたので、しばらく二人にしてやろうと考えた母が美弥の家に行った。そこから鎌倉に住む兄に電話をして、美弥のところにいるので、日曜日に尋ねたいと言ったのだ。すると兄がどなった。

「来るな！　俺はいい。しかし、ここには息子も孫も来る。感染したらどうするんだ。お前もうろうろしていないで、家にいろ！」

それで母が腹を立てたのだ、といきさつを知らせると、武史は驚いた様子だった。そして、美弥がそれを知っているのかと尋ねた。やはり妹を気遣うのだ。

「電話のそばにいたから、知ってるでしょ」

母は葬式の代理を頼むとき、わけを話さなかった。話すような間柄なら、誤解や行き違いが生まれることはなかっただろう。

骨折する少し前、母がぽつりともらしたことがあった。

「あの人たちは、みんな元気で生きている」

あの人たちとは兄と姉たち四人のことだ。死んだのが、自分の子どもでよかった、とまでは言わないが、それに近いものが感じられた。自分の生まなかった子を育てるのは、それほど責任感が伴うことなのだ。

美弥が施設に見舞いに行ったとき、職員が「娘さんですか」と尋ねた。すると母は「姉の子です」と答えた。美弥はその話をわたしにするとき「ママは、姉の子ですって言ったのよ」と繰り返した。六十年以上たっても「姉の子」と言われてショックを受けたようだった。だが、何年たっても、責任ある姉の子なのだ。

それがシンデレラの母だ。

*

あとがき

二〇二〇年に、大阪文学学校で書いた作品を集めて『海が見える』を出版しました。しかし二〇二〇年にコロナの感染が広がって対面授業がなくなり、十三年間通った文学学校をやめることにしました。その後は、文学学校で親しくしていた人々とのオンライン合評会で、作品を仕上げました。

主人公の節子は、家父長制が厳然と存在した時代に、男尊女卑がとりわけ強い鹿児島の地で生まれました。ここでは、彼女の生きてきた足跡を二つの作品で描いています。結婚から戦争をはさんで戦後までが「鹿児島おんな」。晩年が「シンデレラの母」。二つの作品は万葉集の長歌と反歌のようなものです。また、編集工房ノアの涸沢さんは、合わせ鏡と評しました。二枚の鏡に写し出される主人公の姿が、読者に伝わることを願ってやみません。

ロシアのウクライナ侵攻が始まり、理不尽な戦争を止められないもどかしさと、不安に戸惑う日々です。また、玄関にアマビエの張り子を飾って三年が過ぎようとしていますが、コロナ終息の兆しは見えません。そんな中でも、日常は過ぎていきます。あきらめず、くじけず、生きなくてはならないと思います。

『シンデレラの母』出版にあたっては、多くの人のお力を借りました。在学中のチューターの島田勢津子さんと昨年亡くなられた鎊雅代さん、オンライン合評会を企画し、システムを設定し運営してくれた石塚明子さん、書きなおしを何度も根気よく読んでくれた山本佳子さん、須永和子さん、そして元チューターの佐久間慶子さんに、感謝します。

最後になりましたが、二作目を手掛けていただいた淌沢純平さんにお礼を申し上げます。

そして、これを亡き母に捧げる。

二〇二二年十二月一日

長瀬春代

長瀬春代（ながせはるよ）
一九四六年、福井県武生（現越前市）に生まれ、大阪で育つ。
一九六九年から二〇〇六年まで、大阪府と兵庫県の公立学校に勤務する。
二〇〇八年から二〇二〇年まで大阪文学学校に学ぶ。
二〇二〇年『海が見える』（編集工房ノア）出版
塔和子の会会員。
〒五六二－〇〇四六　大阪府箕面市桜ケ丘3－13－5

シンデレラの母（はは）
二〇二二年十二月十三日発行
著　者　長瀬春代
発行者　涸沢純平
発行所　株式会社編集工房ノア
〒五三一－〇〇七一
大阪市北区中津三－一七－五
電話〇六（六三七三）三六四一
FAX〇六（六三七三）三六四二
振替〇〇九四〇－七－三〇六四五七
組版　株式会社四国写研
印刷製本　亜細亜印刷株式会社

ISBN978-4-89271-364-4

寒さの夏は　錺　雅代

秋田。わたしのふるさと。百五十余年を経た茅葺き屋根の生家。往還で、なつかしき山野、人びと、過ぎさらぬ日々を紡ぐ、地の文学の生命(いのち)。二〇〇〇円

周防大島の青い海　瀬戸みゆう

夫が末期ガンで亡くなり周防大島の生家に帰る。古い村のしきたりと、一族の肖像と確執。わたしまで病む、ひとり暮らしの意識のゆらぎ。二〇〇〇円

不機嫌の系譜　木辺　弘児

自虐　果てしなき迂回　と記した父の詩。漱石「坊っちゃん」のたぬき校長、祖父・住田昇日記の発見。とらえがたき肉親の深層に分け入る。二〇〇〇円

日は過ぎ去らず　小野十三郎

半ば忘れていた文章の中にも、今日の状況の中でこそ私が云いたいことや、再確認しておかなければならないことがたくさんある(あとがき)。一八〇〇円

詩と小説の学校　辻井　喬他

大阪文学学校講演集＝開校60年記念出版　小池昌代、谷川俊太郎、北川透、髙村薫、有栖川有栖、中沢けい、奈良美那、朝井まかて、姜尚中。二三〇〇円

小説の生まれる場所　河野多恵子他

大阪文学学校講演集＝開校50年記念出版　黒井千次、小川国夫、金石範、小田実、三枝和子、津島佑子、玄月。それぞれの体験的文学の方法。二二〇〇円